PROFIL PHILOSOPHIE
Collection dirigée par Georges Décote
Série «Textes philosophiques» sous la direction de Laurence Hansen-Løve

LA NATURE
(PHYSIQUE, Livre II)

ARISTOTE

Traduction de O. HAMELIN

introduction

par Jean-Claude Fraisse
Professeur d'Histoire de la Philosophie
à l'Université de Bordeaux

HATIER

Sommaire

ISBN 2-218-02 604-X

Note sur la vie et les écrits d'Aristote

Aristote naquit en 384 av. J.-C. à Stagire, en Chalcidique, d'un père qui était le médecin du roi de Macédoine, père de Philippe et grand-père d'Alexandre le Grand. Sa mère était originaire de Chalcis, dans l'île d'Eubée. Il arriva à Athènes en 366, et entra à l'Académie, école fondée par Platon. Il y resta jusqu'à la mort de celui-ci, en 348, collaborant à l'enseignement qui y était donné. L'Académie étant prise alors en charge par Speusippe, neveu de Platon, il fonda une sorte de filiale de l'Académie en Troade, puis dut se transporter à Mytilène, dans l'île de Lesbos, patrie de Théophraste, qui devait devenir son successeur. Il fut appelé en 343 à la cour de Macédoine, pour être le précepteur d'Alexandre, avant que ce dernier ne s'engageât dans ses brillantes campagnes militaires. Après la mort de Philippe, et l'accession d'Alexandre au trône, il revint vers 335 à Athènes, où il fonda une école rivale de l'Académie, le Lycée, appelée plus tard Péripatos. Devenu supect au parti antimacédonien à la mort d'Alexandre, en 323, il retourna à Chalcis, où il devait mourir en 322.

L'œuvre d'Aristote, très étendue, a connu un destin singulier. Ses ouvrages destinés à la publication ont été perdus, malgré leur grand succès littéraire auprès des anciens, et nous n'en possédons que des fragments sous forme de citations. Nous possédons en revanche des traités destinés à des cours ou à des conférences, comportant parfois des remaniements, des redites, et des sortes de notes, sans grand artifice de présentation. Ces traités ont été réunis au premier siècle av. J.-C. par Andronicos de Rhodes, lointain successeur d'Aristote à la tête du Lycée; il en a composé un *corpus*, où il a réuni, sous un certain nombre de rubriques, traités de logique, ou de méthode, sous le nom d'*Organon* – ou instrument –, de *Physique*, de psychologie et de biologie, de *Métaphysique* ensuite. Suivent deux versions de l'*Éthique* aristotélicienne, dont la principale est l'*Éthique à Nicomaque*, un recueil de huit livres sur la *Politique*, puis trois livres sur la *Rhétorique*, et un fragment d'une *Poétique*. Les anciens y ont joint certains traités apocryphes ou d'origine mal déterminée. La composition du corpus a donc quelque chose d'artificiel : les «livres» d'un même ouvrage ne sont parfois que mal enchaînés les uns aux autres, et peuvent dater d'époques différentes. Aristote y fait parfois allusion à des traités publiés, que nous ne possédons pas. D'où une grande part laissée à la perspicacité des interprètes et des historiens, voire à leur ingéniosité et leur invention. Cela explique sans doute en partie l'innombrable quantité de commentaires dont l'œuvre d'Aristote a été l'objet. Ajoutons que notre Moyen Âge a eu connaissance des commentaires arabes d'Aristote avant d'avoir accès au corpus d'Andronicos. La découverte de celui-ci, au XIIe siècle, devait susciter un renouveau philosophique et scientifique qui a conduit toutes les doctrines classiques à se référer à lui. D'où cette admiration qui faisait d'Aristote, aux yeux de nos ancêtres médiévaux, «le Philosophe», sans autre précision, et l'opposait à une tradition plus ancienne, transmise à travers l'augustinisme, celle de la philosophie platonicienne. Cette opposition, pour réelle qu'elle soit, n'est évidemment pas aussi tranchée qu'on a pu le croire, si l'on songe à la filiation de Platon lui-même à Aristote dans l'Académie. Mais elle fonde suffisamment l'idée d'une évolution progressive d'Aristote vers l'originalité de sa propre doctrine.

Cette originalité se manifeste cependant tout de suite dans l'étendue de l'œuvre scientifique d'Aristote, dans son attention à l'étude des phénomènes naturels, dans la somme d'enquêtes qu'il a consacrées à la description du monde, des vivants, des propriétés des corps, etc. Elle se manifeste aussi dans son effort pour définir des principes de connaissance objectifs, et adaptés aux objets considérés. Là où Platon s'interrogeait surtout à propos des mathématiques et de la manière dont les nombres régissaient l'univers, à la suite des pythagoriciens, Aristote envisage des moyens plus souples de rendre les choses intelligibles. C'est notamment l'objet de sa *Physique*. Celle-ci, comme ses autres «œuvres», est faite de traités différents et plus ou moins bien liés les uns aux autres : I. – Les conditions générales du changement : contraires, matière et forme. II. – *L'idée de Nature*. III-IV. – Le mouvement, l'infini, le lieu, le temps. V. – Les espèces du mouvement. VI. – La continuité comme condition du mouvement. VII. – Mouvement, moteur et mobile. Existence d'un premier moteur. VIII. – Nécessité d'un premier moteur immobile et unique.

On peut à juste titre considérer que le livre II est le plus synthétique de tous pour la définition de l'objet de la physique et de ses principes. Il est également certain, cependant, qu'il fait parfois allusion à d'autres développements, donnés dans d'autres traités. D'autre part, la nature même de cet écrit fait qu'Aristote, très souvent, s'adapte à une objection possible, revient de différentes manières sur un même point. C'est ce qui explique la difficulté de lecture d'un pareil texte et la nécessité, parfois, de le suivre en ses méandres.

1. L'objet de la *Physique*

Introduction : sens du mot «physique»

Le premier chapitre du livre II de la *Physique* s'attache d'abord à définir ce qu'est cette science : celle de la *phusis* ou nature. Il faut d'abord comprendre que dans la pensée grecque, et dans celle d'Aristote en particulier, le mot n'a pas le même sens que pour nous, à la fois en vertu de son étymologie et parce que l'histoire de la physique, en tant que science déterminée, n'a pas encore eu lieu. L'étymologie impose de considérer comme relevant de la physique tout ce qui pousse, vit, croît à la surface de la Terre (du verbe *phuein*), tous les organes de ces êtres, éventuellement les éléments dont les transformations réciproques sont au principe de cette vie (les vivants respirent l'air, ont besoin d'eau, en appellent par leur chaleur intérieure à quelque chose d'igné[1], retournent à une terre qui semble constituer, au prix de certaines modifications, leur matière même). On voit donc que ce que nous appellerions biologie, ou science de la vie, par exemple, fait partie de la physique, ou de ce que nos ancêtres appelaient encore, au XVIIIe siècle, «philosophie naturelle». L'histoire de la physique, d'autre part, n'en a pas encore fait, comme ce sera le cas à la fin du XVIe et au XVIIe siècle, notamment avec Galilée, une science où les mathématiques trouvent

1. Qui a les caractères du feu.

leur application; elle n'a donc recours ni à des données purement quantitatives ni à des descriptions abstraites, où la géométrie, puis l'algèbre, rendraient compte du mouvement. La physique aristotélicienne s'oppose bien plutôt aux mathématiques, dont les objets ne sont pas des objets sensibles, ou du moins n'existent que par abstraction, et n'ont pas, comme le dit Aristote, d'existence «séparée», c'est-à-dire séparée d'une matière où ils doivent nous être présentés et qui n'intéresse pas le mathématicien en tant que telle [1]. Ajoutons que les objets mathématiques sont, aux yeux d'Aristote, immobiles, ce qui les rend totalement différents des objets étudiés par la physique. Plus riche de sens apparaît à Aristote la distinction entre la physique, qu'il appelle «philosophie seconde», et la «philosophie première», qui correspond à peu près à ce que nous appelons théologie, ou encore métaphysique. «S'il existe, écrit Aristote, une substance immobile, la science de cette substance doit être antérieure et doit être la philosophie première.» [2] Entendons que s'il existe des Intelligences, ou un Dieu, ils possèdent une pleine réalité sans pour autant avoir une matière. Ce ne sont pas des êtres abstraits comme les êtres mathématiques, mais ce ne sont pas non plus des êtres changeants, comme le sont les êtres naturels. Dans ces derniers, en effet, la matière, comme nous le verrons, est la condition *sine qua non* d'un changement, et cela implique une corruption possible. Le mouvement éternel des astres, en revanche, est pour nous la manifestation de ces intelligences et constitue à lui seul une sorte de physique supérieure, sur laquelle nous aurons à revenir, mais dont les principes sont assez différents de celle qui nous est familière. Dans le monde qui nous entoure, il faut encore distinguer, et ce n'est pas, pour nous et aujourd'hui, le moindre paradoxe, les objets naturels et les objets artificiels : le mécanisme* galiléo-cartésien nous a habitués à considérer la science des machines comme une des parties constitutives de la physique, et peut-être celle où les lois de cette science sont

1. Qu'un cercle soit en bois ou tracé sur le sable, il a les mêmes propriétés mathématiques. C'est elles que considère le mathématicien, même s'il a besoin de tracer ce cercle ou de le fabriquer.
2. *Métaphysique*, E, 1, 1026 a 27-30.
* Les mots portant un astérisque renvoient à l'index de la fin du livre (l'astérisque n'apparaît qu'à leur première occurrence).

le mieux illustrées, grâce souvent à des montages expérimentaux où des appareils, des machines, simplifient les données à prendre en considération. Aristote, lui, s'attache, dans sa physique, aux êtres qui possèdent un principe de mouvement en eux-mêmes, comme c'est le cas d'abord pour les êtres vivants, beaucoup plus qu'à ceux qui se voient imprimer un mouvement du dehors, et le transmettent éventuellement à d'autres. Un être naturel est toujours, à ses yeux, quelque chose qui est en puissance de devenir autre chose, ou de se diriger vers un autre lieu, le terme de puissance* ne désignant pas une simple virtualité, une possibilité d'être transformé ou mû, mais une capacité active de se transformer ou de se mouvoir de soi-même, spontanément. Bien loin d'être des modèles nous permettant de comprendre la nature et ses lois, les machines faites de main d'homme sont donc toujours des objets inférieurs aux objets naturels, ne serait-ce que parce qu'il leur est nécessaire de recevoir du dehors le mouvement* dont elles seront capables. En résumé, le champ de la physique aristotélicienne est plus restreint que celui que nous assignons à cette science, puisqu'il exclut ce qui est artificiel et n'admet qu'avec réserve ce qui semble, comme les astres, avoir pour seul changement* son déplacement. Il s'étend, en revanche, bien au-delà, lorsqu'il intègre tout le domaine de la vie, et en un sens même plus large que celui que nous donnons au mot «vie». Les difficultés que nous pouvons rencontrer à déterminer ce champ tiennent pour l'essentiel à l'intérêt accordé au dynamisme interne plutôt qu'au simple déplacement. Ce sont là les précisions et les définitions que le livre II va progressivement apporter.

Nature et changement

Ces généralités étant rappelées, venons-en à quelques points plus précis de ce premier chapitre. Après avoir défini sommairement ce que sont les êtres naturels, Aristote souligne le lien qu'il y a entre nature et mouvement. Mais le mouvement et le repos eux-mêmes, conçus comme déplacement ou maintien dans un lieu, ne constituent que l'un des aspects du changement que l'on doit envisager selon les différentes «catégories*» de l'être. Selon Aristote, *l'être* peut se dire en plusieurs sens, c'est-à-dire être l'objet d'assertions diverses, selon qu'on le considère au sens absolu du terme (Pierre est, au sens de Pierre existe) ou en lui ajoutant des attributs de différentes sortes (Pierre est grand, Pierre est blanc, Pierre est à Paris, etc.). Au sens absolu, le mode d'être de la chose et ce que j'en affirme relèvent de sa substance*. Mais je puis en parler aussi bien selon la quantité, selon la qualité, selon le lieu, le temps, et ce sont également là des propriétés de cette chose. On pourra donc parler de *mouvement* en se référant à la quantité, lorsqu'il y aura accroissement ou diminution, à la qualité, lorsqu'il y aura altération, au lieu, lorsqu'il y aura mouvement local, et même à la substance s'il y a génération ou destruction. Ce dernier cas fait problème, car on peut se demander de quoi il y a mouvement lors du passage de rien à quelque chose ou de quelque chose à rien, et c'est sans doute la raison pour laquelle il n'en est pas question ici, Aristote ayant consacré un traité entier à cette étude; il conduit d'autre part à des problèmes qui dépassent dans une certaine mesure la seule physique. Mais retenons pour l'instant que la science de la nature traite de tous les cas de changement et de mouvement spontanés, ainsi que de leur origine ou de leur aboutissement (le repos). On relèvera que la prise en considération du repos comme contraire du mouvement a ici un sens très intéressant. Alors que la physique moderne, inspirée du mécanisme, considère mouvement et repos comme des caractères extrinsèques par rapport à l'objet considéré, et que le même corps peut être considéré comme en repos ou en mouvement selon les points de références que j'adopte [1], le seul principe commun étant celui d'inertie, en vertu duquel seule une cause extérieure peut expliquer le passage de l'un à l'autre de ces états en eux-mêmes indifférents, Aristote considère *le changement* comme le passage d'un contraire à un autre (ce qui est petit devient grand, ce qui est blanc devient noir, ce qui est en haut tombe en bas); et la réalisation, l'actualisation d'un des deux contraires met un terme, au moins provisoire, au changement et au mouvement. Ainsi une plante pousse-t-elle jusqu'à ce qu'elle ait atteint son plein développement, et trouve-t-elle alors un repos d'une certaine durée

1. Voir, p. ex., Descartes, dans ses *Principes de la Philosophie*, II, 24-26.

avant de se flétrir. Cette propriété est commune à tout ce qui est naturel, y compris les éléments* premiers dont sont faites les choses : ainsi le feu va-t-il spontanément vers le haut, et la terre vers le bas jusqu'à ce qu'ils aient trouvé leur « lieu naturel », ou au moins rencontré un obstacle qui les empêche soit de monter soit de tomber davantage. D'où la distinction faite ici avec *les objets artificiels* : ceux-ci n'ont pas de principes de mouvement ou de repos spontanés, sauf s'ils sont faits d'un matériau qui, en tant qu'il est lui-même naturel, possède ce genre de principe : le bois dont est fait un lit ne poussera pas jusqu'à produire un autre lit, et ce serait seulement dans l'hypothèse où on aurait utilisé un morceau de bois encore frais et où on enterrerait le lit que l'on pourrait voir surgir quelque bouture conforme à l'espèce que l'on a utilisée. De même, un manteau tombera par terre non en tant que manteau, mais en tant qu'il contient de la terre dans ses éléments, et que la terre tend vers la chute, par pesanteur.

C'est de cette distinction qu'Aristote cherche à rendre compte en utilisant les notions d'essence et d'accident* : c'est par accident que le lit enterré, en tant que lit, produit une pousse d'osier. Mais c'est par essence que l'osier, en tant qu'osier, repoussera, même s'il fait partie d'un lit. De même, un médecin peut se soigner lui-même en tant qu'il est malade; mais ce n'est pas en tant que malade qu'il est médecin, et la coïncidence des deux caractères chez le même homme est « accidentelle », non essentielle à l'acte médical.

Qu'est-ce qu'un être naturel?

Ayant défini la nature par cette capacité de mouvement et de repos spontanés, et l'ayant par là même opposée à l'art*, qui utilise des ressources naturelles à d'autres fins, Aristote en vient (en 192 b 32) à ces problèmes plus proprement épistémologiques, c'est-à-dire à la définition de ce que l'on doit appeler nature dans les substances, dans les choses dont nous avons l'expérience. La nature en tant que telle existe, cela n'a pas besoin d'être démontré, et il n'y a aucun intérêt à chercher des raisons obscures, ou difficiles, pour rendre compte de ce qui est manifeste. Entendons que la distinction entre naturel et artificiel est une sorte de principe d'intelligibilité que nous appliquons nécessairement à la compréhension du monde qui nous entoure, et que l'évidence du critère retenu (capacité de mouvement ou de changement spontané, et, corrélativement, de repos) se suffit à elle-même. Mais cette nature doit encore résider en quelque chose, qui sera dit exister « par nature » ou être « conforme à la nature ». Ce quelque chose sera *une substance* (*ousia*), c'est-à-dire un être jouissant de l'individualité et servant de centre à tous ses attributs en en assurant l'unité, ou un « sujet », c'est-à-dire un substrat commun à toutes les propriétés plus déterminées qu'il peut recevoir. On voit tout de suite que cette dualité, qui fait parler tantôt d'individu et tantôt de sujet, engage une différence de conception dans ce que l'on peut appeler substance, et, en conséquence, une différence dans ce que l'on attribuera, en chaque chose, à la nature. Si la substance est avant tout ce qui fait l'unité de ses différents attributs (si Pierre, par exemple, est la substance dont être « grand », être « en mouvement », « blanc », « actuellement en vie », sont les attributs), on aura tendance à considérer que la substantialité de quelque chose réside dans ce qu'elle est nécessairement, dans ce qui en donne une définition exacte et suffisante. Si la substance est plutôt considérée comme le substrat commun à toutes ses propriétés, on pensera que c'est la matière de la chose, pour autant qu'elle reste permanente à travers ses diverses transformations, qui en fait la substantialité. Dans un cas et dans l'autre, on considère comme substantiel ce qui est permanent, soit parce que nécessaire, soit parce que subsistant, mais la question est de savoir ce qui est véritablement permanent. Mais, lorsqu'il faut définir ce qui fait l'essence naturelle de quelque chose, la difficulté en est redoublée car la définition même de la nature est d'être une capacité spontanée de changement : on va se demander quel est le principe permanent, substantiel, du changement. Or il peut y avoir, dans la conception même qu'Aristote a exposée de la nature, des raisons de situer ce principe dans le caractère matériel des êtres naturels aussi bien que dans la finalité* formelle de ses productions. On doit donc prendre en compte une part de vérité contenue dans des opinions antérieures pourtant opposées.

Définition par la matière

Si la substance naturelle est ce qui conserve son unité à travers la multiplicité des attributs qu'elle peut recevoir successivement dans certaines limites, on peut soutenir que c'est la matière de la chose qui assure cette unité. La même matière, le même matériau peut tantôt avoir telle qualité et tantôt telle autre, le changement se faisant de contraire à contraire. Ainsi, selon un exemple tout à fait traditionnel, la même cire peut devenir molle de dure qu'elle était, ou chaude de froide qu'elle était. C'est même à l'occasion de ces variations que se manifeste le mieux, aux yeux d'Aristote, le caractère «composé» des substances qui nous entourent : elles associent à une certaine matière permanente, en son lieu, des formes diverses, entre lesquelles il y a des «transformations» continues, selon les différentes catégories. On ne s'étonnera pas que les exemples donnés (193 a 12-13) soient empruntés à des objets artificiels (le bois de lit, l'airain de la statue), car l'art, en imitant la nature, présente d'une manière encore plus évidente la distinction qu'il faut faire entre ce dont une substance est faite, et ce qui la fait ce qu'elle est lorsqu'elle est achevée et conforme à sa définition. Mais tout matériau pourra à son tour être considéré comme la combinaison d'éléments primitifs, jusqu'à ce qu'on en vienne à une matière première. D'où le privilège que les anciens «physiologues», ou les premiers penseurs enquêtant sur la nature, ont accordé à tel ou tel élément primitif, l'eau, l'air, le feu, la terre, dont ils ont cru bon de faire la racine de tous les autres. En fait, selon Aristote, ces quatre *éléments* sont eux-mêmes des composés de qualités contraires (le feu de chaud et de sec, l'air de froid et de sec, la terre de chaud et d'humide, l'eau de froid et d'humide), entre lesquelles des transformations peuvent se produire, et il faut aller au-delà pour trouver une *matière première*, totalement indéterminée, et qui paraît plus une exigence de l'esprit que l'objet d'une expérience réelle[1]. Cette matière première, par son statut de principe, est en fait la seule à échapper à la temporalité, en échappant à cette forme de changement qui relève de la catégorie de la substance.

1. Voir le traité sur *la Génération et la corruption*, II, chap. 1.

Définition par la forme

Mais à peine a-t-on défini la nature et la substance conforme à celle-ci, par la matière ou le substrat, que l'on s'aperçoit du caractère insuffisant d'une telle définition. Si la matière est ce qu'il y a de plus indéterminé, si elle n'est naturelle que par la puissance où elle est de recevoir des attributs contraires, comment trouver en elle ce qui indique le mieux la nature d'une chose et le principe de son devenir propre? Condition nécessaire de toute pensée de la nature, la matière ne rend pas compte positivement de ce dynamisme dont nous avions parlé et qui s'exprime dans le développement et la venue à maturité, repos et perfection des êtres naturels. Aussi semble-t-il légitime d'appeler nature ce qu'Aristote désigne, en 193 a 30-31, des termes grecs de *morphè* et d'*eidos* : la *morphè*, c'est la forme*, au sens de la configuration ou du type, du modèle sensible. L'*eidos*, selon une terminologie déjà présente chez Platon, c'est l'idée de la chose, non en tant qu'elle est une représentation relevant de ma pensée, mais en tant qu'elle est objectivable dans une définition. Cette forme n'a pas l'universalité abstraite d'un genre où je classerais la chose; mais elle s'identifie avec sa différence spécifique, c'est-à-dire avec la détermination la plus précise qu'elle puisse recevoir avant d'entrer en composition avec une matière qui lui apportera nombre de caractères accidentels. C'est, par exemple, l'essence du chêne en tant que chêne, telle qu'elle se retrouve en tous les chênes, mais indépendamment des propriétés individuelles de chacun d'eux (sol, climat, blessures, etc.)

Aristote va donc, à partir de 193 a 28, donner un certain nombre d'arguments en faveur de l'assimilation de la nature à la forme. De même que la comparaison avec l'art nous montrait comment on pouvait appeler nature le matériau, c'est la comparaison avec l'art qui va fournir le premier argument : l'objet de l'art est la réalisation, l'actualisation d'une certaine forme, celle du lit ou de la statue. De même la nature sera ce qui, d'une matière donnée, fera un chêne ou un olivier, un muscle ou un os. Et l'on poura penser que la nature de ces substances naturelles est désignée par la définition, le *logos* que nous en donnons (193 b 1). Sans doute cette forme que nous définissons est-elle non «séparable» de la matière où elle s'incarne, entendons, non pas «logiquement», c'est-à-dire par une abstraction que permet le raisonnement, mais dans le sens où elle semble commander tout le processus naturel aboutissant à l'existence et aux attributs d'une telle substance. La forme est donc immanente à tout le devenir, permanente à travers ses différentes étapes, puisque la compréhension que nous en avons est toujours éclairée par elle. Si donc on appelle nature la forme, la substance composée sera dite exister par nature, sans que ce soit elle qui, dans sa composition même, puisse être appelée nature. Des deux principes qui, par leur intelligibilité, pouvaient éclairer les êtres « conformes à la nature » (193 a 2), c'est celui qui se révèle dans leur actualisation plutôt que celui qui la rend possible qui mérite le plus d'être pris en considération.

Un second argument peut être tiré de ce que nous avions dit à propos de la rencontre accidentelle entre nature et art : si un lit est fait de bois, et si, dans des circonstances exceptionnelles, il peut donner naissance à une bouture de l'espèce dont il est fait, cela prouve que le mouvement spontané de croissance que l'on reconnaît comme naturel est lié à la forme de cette espèce et non à un matériau indifférencié, commun à l'objet artificiel lit et à l'arbre que l'on a travaillé. Le lit enterré et pourri ne donne pas naissance à un autre lit. Il y a donc transmission de la forme d'un individu à un autre à travers le bourgeonnement, comme il y a transmission de la forme du père à l'enfant. La permanence de la forme s'étend donc au-delà du devenir naturel individuel jusqu'au devenir de l'espèce et à la génération des individus les uns par les autres.

Un troisième argument peut être tiré du sens ambigu du mot *phusis*, nature (193 b 13-18) : on désigne de ce nom aussi bien le devenir générateur (*génésis*), nous dit Aristote, que ce qui est produit par ce devenir et en constitue le terme. Cette ambiguïté propre à la langue grecque et que l'on pourrait rendre approximativement en rapprochant des expressions telles que : « il est dans ma nature de devenir tel ou tel, ou de faire telle chose », et « voici ma nature, c'est-à-dire ce que je suis devenu », ne se retrouve pas dans des mots formés de la même manière (ainsi de *hiatreusis*, doté du même suffixe *sis* et désignant l'art de soigner), mais où l'effet produit (la santé : *hugieia*) est distinct de l'acte producteur. Pour les objets naturels, «nature» signifie aussi bien croissance et génération qu'effet de cette croissance et de cette génération dans un objet qui a crû. Autrement dit, la nature est immanente à tout le processus, alors que l'art médical, par exemple, s'efface devant la guérison effective. Nous avons donc affaire, dans un processus naturel, une maturation par exemple, à un changement du même au même et non à une causalité transitive. Quel est le but de ce changement, ce vers quoi il tend? Ce n'est certes pas, nous dit Aristote, ce dont il provient, autrement dit la matière, mais la forme qui va se réaliser.

Le chapitre se termine sur un problème qui est provisoirement ajourné : si la forme, en tant que nature, détermine un changement de contraire à contraire, et si elle actualise tel contraire, dont la substance était privée dans son état antérieur, existe-t-il un contraire d'où provienne la génération d'une substance, et dont il faudrait dire qu'il est une non-existence? Nous sommes en fait renvoyés au problème de la matière première, dont ce passage, par le privilège accordé à la forme, nous suggère qu'elle est la privation de toute forme, et par conséquent étrangère à l'idée de nature.

Le premier chapitre de ce deuxième livre de la *Physique* s'est donc caractérisé comme une recherche sur ce que la langue courante nous apprend lorsqu'elle emploie le mot *phusis*. Les dernières notations d'Aristote, en s'appuyant sur le sens du grec *phuein*, «pousser, croître», montrent à quel point cette physique reçoit ses principes d'intelligibilité d'une réflexion sur ce qui est vital et fait l'objet de la compréhension du vivant. Les références à la technique n'y sont que des instruments permettant de mieux établir les distinctions nécessaires, et paraissent d'autant plus légitimes à Aristote que l'art est toujours une imitation de la nature dans les procédés qu'il utilise sinon dans les objets qu'il réalise. Aristote analysera donc dans un second temps l'idée de cause, et étudiera le recours du physicien à la causalité (chap. III) : il cherchera à faire comprendre ce qu'est cette causalité immanente qui lie indissolublement nature et forme. Restera, de part et d'autre, à mieux délimiter la physique comme science, et à montrer le statut inférieur du mécanisme comme principe d'intelligibilité.

2. Place de la physique parmi les sciences

Le second chapitre du livre II distingue l'objet de la physique de celui des mathématiques, aussi bien que des intelligibles tels que les définit Platon, parce qu'il s'agit, dans tous ces cas, de simples abstractions. Il revient donc sur les caractères d'une science des substances composées de matière et de forme et précise une fois de plus la différence entre objets artificiels et objets naturels, cette fois en prenant en considération la finalité. Il s'achève sur quelques lignes opposant philosophie première et philosophie seconde[1].

Physique et mathématiques

Même dans une perspective où la physique n'est pas mathématique au sens où nous l'entendons, ces objets mathématiques que sont les points, les lignes, les surfaces et les volumes, sont abordés par le physicien au moment où il traite de la configuration (*morphè*), du mouvement et des trajectoires, du lourd et du léger ou des différents équilibres. Inversement, lorsqu'on parle d'astronomie – et nous avons déjà vu ce qui fait la particularité des astres[2] –, il n'est guère possible de séparer l'intérêt pour leur substance incorruptible de celui pour leur forme et pour leur mouvement. C'est donc moins par un domaine différent qu'il faut distinguer les mathématiques, notamment la géométrie, de la physique, que par une manière différente d'aborder les mêmes réalités : la physique traite du point comme de la limite d'un segment matériellement tracé, de la ligne comme de la limite d'une surface visible, de la surface comme de la limite d'un volume palpable, mais ce qui l'intéresse, ce sont les substances dont ces êtres mathématiques sont les limites. Les mathématiques, en revanche, raisonnent sur les points, les lignes, les surfaces et les volumes sans se mettre en peine de savoir de quelle matière leur intervalle est rempli. C'est en cela que leurs

1. Voir ci-dessus, p. 6.
2. Voir p. 6.

objets sont «séparés», ou abstraits par la pensée. Mais cette abstraction n'engendre aucune erreur aussi longtemps qu'on ne leur attribue pas une réalité autonome (193 ba 24-35).

Aristote profite de cette analyse pour reprendre une critique qu'il adresse constamment à son maître Platon; lorsque celui-ci oppose le monde sensible et le monde des idées, il croit trouver en ces dernières des réalités plus nécessaires que celles de notre monde, qui, elles, n'existent que par imitation ou participation, et sont sujettes dans leur existence à des contingences dont notre connaissance est victime : de même qu'à nos sens se présentent des réalités trompeuses et fugitives dont nous ne pouvons au mieux qu'avoir des opinions vraissemblables, à notre intelligence est offerte la saisie d'objets idéaux dont les relations et la définition sont objets de science. L'homme que je perçois n'est donc connu en ses caractères essentiels que parce que sa représentation renvoie à un homme «en soi», dont l'idée impose leurs normes à tous les discours que je pourrai tenir sur lui. C'est un problème propre à la philosophie platonicienne de savoir si cette transcendance de la réalité idéale, accessible à la seule pensée (*noèsis*), suffit à donner aux objets de la pensée (*nooumena*) une existence propre, et il est attesté que Platon fut embarrassé et évolua sur ce point. Mais Aristote le comprend de cette manière. Aussi rapproche-t-il ici les idées platoniciennes des objets idéaux des mathématiques pour en faire de simples êtres de raison. Mais l'erreur lui semble plus grave, car, si l'on peut comprendre que l'on traite du cercle sans avoir égard à sa matière et à sa réalité sensible, on ne voit pas comment on pourrait en faire autant à propos de substances toujours composées de matière et de forme, comme le sont les substances physiques. D'où l'opposition, en 194 a 1-7, entre des êtres dont la substance (le nombre, par exemple) aussi bien que les attributs (pair, double) sont des abstractions, et des êtres (l'homme, le nez) dont la substance, aussi bien que les attributs (fait d'os et de chair, camus par exemple) ne seraient pas ce qu'ils sont sans leur matière. Tout nez est camus ou droit, mais ne l'est que par la matière qui entre en composition avec la forme. L'erreur de Platon est donc, aux yeux d'Aristote, de croire que l'on peut traiter des substances physiques à partir de simples relations intellectuellement conçues, alors que c'est possible en mathématiques (double et moitié ne se pensent que par relation réciproque, sans que l'on s'occupe des objets en leur aspect concret) : Platon croyait voir, dans certaines réalités physiques, liées au nombre ou à la géométrie (lien des sons à la longueur des cordes dans l'harmonique, des mouvements des astres à certaines figures mathématiques en astronomie, de la réflexion à certains angles en optique), les préliminaires à une science mathématique pure et dans cette mathématique pure la science préliminaire à une étude des relations nécessaires entre les idées elles-mêmes, telles que notre raisonnement les enchaîne – ce qu'il appelait «dialectique[1]». Aristote, au contraire, nous dit que ces mathématiques appliquées à la nature sont presque de la physique (194 a 9-12), anticipant, intuitivement sans doute, sur ce que la physique moderne nous enseigne de la résistance différente des milieux et des données irréductibles de la matière.

Comparaison avec les arts

Il reste cependant que, tout en s'occupant à la fois de la matière et de la forme, la physique doit davantage traiter de la forme, puisque, nous l'avons vu[2], la matière n'est, réduite à elle-même, que possibilité d'être déterminée et de se prêter à une actualisation successive des contraires. En cela, Aristote reste platonicien, et ne se contenterait pas plus que le Socrate du *Phédon* d'une explication qui se réduirait à rendre compte des choses par la simple présence de leurs conditions matérielles d'existence[3]. Doit-on en déduire la possibilibé de deux physiques parallèles? Lorsqu'il évoque les «anciens», il fait allusion à ces «physiologues» pour qui un ou plusieurs éléments matériels suffisent à tout engendrer[4]. Par opposition, Empédocle admettait une certaine proportion de ces éléments dans les choses, qui rendait compte de leurs différences et de leur devenir à partir de la complémentarité ou de l'opposition des contraires, de l'affinité ou de

1. Cf. *La République*, VII.
2. Voir ci-dessus, p. 11-12.
3. Platon, *Phédon*, 97b-99 d.
4. Voir, ci-dessus, p. 11.

l'exclusion des semblables; et Démocrite, atomiste matérialiste pourtant, avait recours à la position, la forme et la disposition des atomes pour expliquer la diversité des corps et de leurs mouvements. Dans un cas et dans l'autre, on avait donc affaire à une spéculation sur les formes et sur la relation, qui en appelait à un certain pouvoir de comprendre[1]. Mais il est besoin d'arguments plus solides, déjà abordés au premier chapitre par confrontation avec les objets artificiels.

Le premier nous rappelle que l'artisan est à la fois celui qui est compétent à propos de la forme qu'il veut donner à un objet et celui qui sait quel est le matériau le plus favorable à sa réalisation. On a donc un exemple précis d'une science qui porte à la fois sur la forme et sur la matière. Dire la même chose de la physique n'a donc rien de paradoxal.

Le second argument a recours à l'*idée de fin*, qui sera analysée de manière plus détaillée au chapitre III, parmi les différentes causes. Nous avons cependant déjà rencontré l'opposition entre ce dont une chose est faite et ce à la réalisation de quoi elle tend (I,193 a 28 *sqq.*); et cette forme définissait mieux que le matériau la nature immanente aux objets naturels. Cette forme n'est pas simplement le terme chronologique d'un devenir, mais l'achèvement, la perfection de quelque chose, conforme à sa définition. La différence qu'il y a entre les matériaux utilisés en vue de cette fin par l'art et par la nature est que, dans le premier cas, l'artisan peut choisir ce qu'il va utiliser (pierres ou briques pour une maison, par exemple), alors que la nature impose son matériau (un homme est toujours fait de chair et d'os). Mais l'art peut être très inférieur à la nature, en ce qu'il utilise un matériau parce que c'est le plus adapté à la partie dont il s'occupe, sans concevoir parfaitement l'ensemble de l'objet artificiel – ou de l'activité – auquel cette partie va s'intégrer. Seuls des arts «architectoniques», c'est-à-dire prenant en considération l'ensemble de leur fonction (par exemple, l'art de la construction des navires par opposition à l'art de la menuiserie), vont apprécier les

1. Voir, p. ex., sur Empédocle, le *Traité de l'âme*, I, 5, 410 a 27 *sqq.*; et sur Démocrite, la *Métaphysique*, A, 4, 985 b 10 *sqq.*

matériaux à utiliser en vue de la fin. Il y a donc dans l'art lui-même non seulement une distinction entre la forme, au sens de configuration, et la matière, mais une distinction entre matériaux et configurations d'une part, destination de cet art lui-même d'autre part. L'art du pilote se subordonne l'art de fabriquer un gouvernail, qui en appelle lui-même à la nature de tel bois de préférence à celle de tel autre bois. Il faut donc bien s'entendre, nous suggère Aristote, lorsqu'on dit que la forme, le type, ou l'idée sont « nature ». Ils ne le sont pas en ce sens mineur que l'on pouvait repérer chez Empédocle ou Démocrite, mais au sens où ils tendent à la réalisation d'une perfection réelle. Et nous retrouvons cette immanence de la forme à tout le processus dont nous avions parlé [1], soulignée par la comparaison avec les arts architectoniques de même que, dans ces arts, la forme ou la fin est aussi bien au départ qu'au terme, puisque le passager qui demande à être transporté est aussi bien la fin du pilote que l'est la bonne manière de gouverner (194 a 35-36), la forme dont se préoccupe le physicien, et dont la matière est imposée, est constamment présente dans le devenir naturel. La solidarité entre fin et matière, encore plus étroite qu'entre forme et matière si l'on prend forme au seul sens de disposition et choix des matériaux, impose donc au physicien la considération des deux à la fois.

Physique et science du divin

Un troisième argument, très rapidement énoncé, mais important, est que la matière n'existe que par relation avec la forme. Ou plus exactement, elle est un être que l'on doit penser sous la catégorie de la relation (*prosti*) du fait qu'elle ne possède aucune détermination par elle-même, et que même un matériau déterminé réalise déjà une certaine forme (l'airain, par exemple) avant même d'être utilisé pour en recevoir une autre (la statue). On pourrait certes dire que la forme aussi, dans les substances composées, est relative à une matière, ou à un matériau déterminé. Mais il existe aussi des formes sans matière, étrangères certes à la physique; et de toute façon, c'est la forme qui en appelle à telle matière pour réaliser la fin, et non l'inverse (194 b 8-9).

Le second chapitre se conclut cependant sur l'idée que le physicien n'est pas uniquement préoccupé de la forme, qu'il l'étudie telle qu'elle et engagée dans une matière, et que sa connaissance de la forme n'est donc pas une science de la fin au sens où l'est la Philosophie «première». L'argument suivi est assez difficile : jusqu'où va, demande l'auteur, chez le physicien, la connaissance de l'*eidos*, celle du «qu'est-ce que c'est?» ou de ce que l'on appellerait essence? Cette connaissance est aussi limitée que celle de la matière chez l'artisan, de l'airain chez le sculpteur ou du nerf chez le médecin : ils n'en retiennent que ce qui leur est utile. Cela revient à dire que les formes des êtres naturels ne sont pas des fins absolues, malgré leur finalité immanente. D'une certaine manière, la forme de l'homme, qui correspond à la définition par genre et différence «spécifique», est la fin de l'existence des individus successifs, de génération en génération, et on peut la penser séparément de ces individus. La génération et la disparition des individus (devenir selon la catégorie de substance) ont pour cause, comme pour tous les êtres terrestres, le mouvement périodique du Soleil, selon les saisons, par rapport à l'écliptique (plan de la révolution de la Terre). Comme les mouvements célestes imitent eux-mêmes, grâce à une matière purement locale, permettant le seul déplacement, et non la corruption, l'activité sans matière du premier moteur, on peut dire que la connaissance achevée de l'essence, en sa séparation, relève non de la physique mais de la théologie.

Ce passage ne peut être compris dans la perspective de la physique si l'on ne se réfère pas à d'autres passages d'Aristote. Du moins y a-t-il pour lui une continuité entre physique et théologie. Nous avions pu relever que les astres présentaient un cas tout à fait singulier de mouvement[1], puisque leur transport circulaire est éternel, échappe à la génération et à la corruption, et que, bien qu'ils soient sensibles, la matière où ils s'actualisent correspond à la seule catégorie du lieu, sans qu'il y ait alternance de mouvements contraires à partir de repos alternés. Il y a bien, dans ce mouvement circulaire, passage de la puissance à l'acte, mais l'acte se confond

1. Voir ci-dessus, p. 6.

avec le parcours effectué, et la puissance, loin d'introduire la moindre contingence, est la seule capacité à accomplir progressivement ce parcours. Or, de même que la capacité à se mouvoir et, en même temps, à être mû, trouve sa raison, pour les substances individuelles composées, dans la permanence de la forme, il faut que le monde, le cosmos, lorsqu'il allie la capacité de se mouvoir et celle d'être mû localement, trouve, pour son éternité, une raison éternelle qui ne soit pas elle-même un mouvement, sous peine de régression à l'infini. Or, le *mouvement* se définit toujours comme une puissance qui tend vers une actualisation, et c'est elle qui permet de le déterminer en lui assignant sa fin. Il faut donc concevoir un être qui soit pure forme, actualisation pure, et où aucune matière n'introduise un élément de potentialité; il faut aussi que cet être explique le mouvement éternel des astres, et par voie de conséquence, les changements temporels, à commencer par la génération et la corruption, des substances de notre monde. Le seul exemple d'une activité sans matière est celui de l'intelligence, par l'intellect, des intelligibles, c'est-à-dire de ce qui, en notre pensée, ne relève pas d'une représentation sensible; une telle activité ne peut engendrer un mouvement en autre chose qu'elle si ce n'est en se proposant comme une perfection à imiter; mais la fin est ici transcendante, extérieure à ce qu'elle attire, et non immanente, comme la forme dans des changements naturels. D'où l'idée d'un *Dieu* qui est à la fois un «intellect qui se comprend lui-même en saisissant l'intelligible»[1], qui meut le monde du dehors, comme l'objet aimé meut celui qui l'aime[2], et dont l'existence est comme attestée à titre de condition de l'éternité du mouvement des astres, et de sa nécessité*[3]. Ce Dieu, qui possède l'individualité, la «séparation» (194 b 14) sans avoir de matière, n'est pas un être de raison, une abstraction comme le sont les objets «non séparés» des mathématiques. Son essence ne se définit évidemment pas à la manière de celle des substances naturelles, comme un *eidos* se traduisant nécessairement dans un *morphè* ou un type. Mais on devine que seul le théologien, celui qui pratique la «philosophie première», serait en mesure

1. *Métaphysique*, Λ, 7, 1072 b 18.
2. *Métaphysique*, Λ, 7, 1072 b 3.
3. *Physique*, VIII, 5, 256 a 29 et VIII, 1, 251 a 9-28.

de connaître jusqu'au bout, et non «jusqu'à un certain point» (194 b 9-10), à quoi correspondent ces notions.

Le second chapitre du livre II de la *Physique* a donc tenu son propos de délimiter le champ de cette discipline. Alors que le premier s'était attaché à analyser la notion de *phusis*, de nature, dans toute sa compréhension, nous avons avec lui une vision plus claire de l'extension du concept, aussi bien en excluant les mathématiques, quelle que soit leur relation avec la physique, qu'en subordonnant cette dernière à une manière plus approfondie de philosopher. Il n'est pas jusqu'à l'étude de la finalité qui, sans en venir encore à l'étude de ce qu'est une explication par les causes, ne vienne à nuancer le modèle d'intelligibilité emprunté aux arts, et aux rapports qu'ils instituent entre forme et matière. Le plus intéressant est sans doute la hiérarchie qui est peu à peu mise en place de la théologie à la physique comme science des substances composées, de l'idée de composition entre forme finale et moyens à l'idée de composition entre configuration et matériau, de l'idée de substances séparées à celle d'êtres de raison obtenus par abstraction. Nous disposons d'une sorte de schème de compréhension de l'univers, de Dieu au monde des astres, de celui-ci à celui des êtres conformes à la nature, de ceux-ci aux constructions artificielles, des arts architectoniques aux arts de fabrication, des arts, enfin, aux mathématiques. Le moment est venu d'entrer dans l'étude de ce que l'on appelle causes, si l'on admet que toute science répond à la question : «pourquoi?».

3. Les différents sens du mot *cause*

Nous avons dans le chapitre III du livre II un des exposés les plus complets de ce qu'Aristote entend par cause, et ce texte est d'ailleurs identique à celui que l'on trouve au livre Δ de la *Métaphysique*, sorte de glossaire du vocabulaire technique aristotélicien (chap. 1). Puisqu'il s'agit de physique, il s'agit de rechercher ce que sont les causes du changement ou du mouvement, et les causes «premières» (194 b 19) au sens où, selon Aristote, entre des causes diverses et qui s'enchaînent les unes aux autres, le physicien s'intéresse à celles qui jouent immédiatement et de manière suffisante dans le devenir. La recherche des causes, puisqu'elle veut répondre à la question : « pourquoi ? », est la recherche d'un principe d'intelligibilité, ou plus exactement de divers principes d'intelligibilité qui n'ont pas d'existence en dehors de la nature prise en sa composition, mais se distinguent d'elle en permettant de concevoir son changement comme possible. Mais parler de principes d'intelligibilité, et avoir recours à une démarche de l'esprit pour les distinguer, implique qu'il peut y avoir plusieurs causes qui expliquent de manière concurrente. Cela est d'autant plus vrai que les êtres naturels sont composés de matière et de forme, que leurs changements se font de contraire à contraire qui passent de la puissance à l'acte et inversement. On ne peut donc parler de « causes » si ce n'est de façon équivoque. Selon les sens divers donnés à ce mot, plusieurs manières d'expliquer par les causes seront recevables simultanément. On répondra toujours à la question : « pourquoi ? », mais on y répondra en divers sens à la fois, sans que l'explication y perde de sa rigueur. On peut, cela dit, distinguer deux sens du mot cause* où celle-ci est tantôt immanente à ce qui devient, tantôt présente en acte* à l'un des deux termes de ce devenir. Sont immanentes au devenir (194 b 24) la matière dont la chose est faite aussi bien que la forme que ce devenir actualise, bien que de manières différentes. Semblent extérieures à ce devenir aussi bien la cause efficiente, celle qui donne le commencement (194 b 29), que la cause finale, celle par l'atteinte de laquelle le devenir accédera au repos (194 b 33).

Nous retrouvons donc, parmi les causes immanentes et en premier lieu, la matière dont une chose est faite et « les choses plus générales », c'est-à-dire les genres de cette matière même : l'airain de la statue, l'argent de la tasse, le métal qui est le genre commun à ces deux matières, l'eau qui est immanente au métal, puisqu'il peut entrer en fusion. Nous trouvons ensuite la forme, une proportion par exemple, qui peut elle-même s'entendre en plusieurs sens : deux sons qui retentissent à l'octave sont engendrés, par exemple, par une corde de longueur *double* pour l'octave inférieure, mais sont plus généralement dans un simple rapport de nombre, si l'on comprend simplement que le double et la moitié sont des « espèces » du « genre » nombre. En ce qui concerne la cause d'où vient le premier commencement, et que nous appelons cause efficiente, il y a par exemple celui qui prend la décision d'agir, mais ne peut la prendre que parce qu'il est en situation plus générale de la prendre. Ce père-ci est la cause de cet enfant-ci, mais il l'est parce qu'il est d'abord un homme. Enfin, la cause finale est le but que l'on se propose, mais il peut y avoir toute une série de causes intermédiaires que parcourt la même finalité : on utilise certains remèdes, en vue d'obtenir une purgation, qui engendrera un amaigrissement, lui-même destiné à rendre la santé. Aristote nous montre donc que non seulement l'idée de cause doit s'entendre en plusieurs sens, mais que, à l'intérieur de chacun de ces sens, il y a, comme il le dit en 195 a 30, de l'antérieur et du postérieur, du lointain et du prochain, une causalité médiate, ayant recours à des intermédiaires, et une causalité immédiate, celle qui explique le plus directement le devenir considéré. On conçoit aisément que ces causalités diverses entrent en concurrence dans l'explication, interfèrent les unes avec les autres, puissent avoir le statut de cause essentielle ou accidentelle, selon une distinction encore nouvelle. Ainsi l'on peut appeler cause d'une statue aussi bien le métal dont elle est faite (l'airain) que l'art qui permet de lui donner forme (la statuaire), et l'on retrouve à cet égard le parallélisme entre art et nature auquel Aristote nous a habitués. On peut, d'autre part, dire que la fatigue est cause de la santé ou la santé cause de la fatigue, mais au sens où la santé est la cause finale de la fatigue que l'on prend à certains exercices, et la santé la cause initiale ou efficiente de la fatigue, au sens où c'est elle qui permet de se fatiguer et en donne l'initiative. On parlera enfin de cause en un sens négatif ou en un sens positif selon que son absence, son caractère de pure potentialité interdira un certain effet alors que sa présence, son actualité le produira : le pilote est cause du naufrage, s'il s'est absenté, par une sorte de privation, aussi bien que cause de la bonne traversée s'il est là (194 a 11-14) : cette remarque semble un peu marginale ici, mais permettra de rendre compte de certaines aberrations ou monstruosités naturelles, qui tiennent à l'absence d'une cause naturelle pourtant nécessaire. Elle permettra aussi de mieux apprécier, en morale, le rôle de cette cause efficiente qu'est le choix.

Combinaison des causes et degrés de détermination

Le résumé donné par Aristote lui-même en 195 a 15-26, outre les exemples qu'il nous donne, d'abord du couple cause matérielle-cause formelle, puis de cause efficiente, et enfin de cause finale, nous conduit à une sorte de combinatoire des causes : il y a les quatre sens de la causalité; pour chacun d'eux, on doit distinguer la cause prochaine ou postérieure et la cause générique, universelle et antérieure; la cause par soi et la cause par accident (si un musicien est aussi sculpteur, c'est par accident qu'on peut dire le musicien cause de la statue); la cause en puissance et la cause en acte (le sculpteur qui va au marché n'est cause de statues qu'en puissance); la combinaison des causes et leur jeu singulier. Mais cette combinatoire se réduit à trois couples (cause particulière et genre, cause par soi et cause par accident, causes multiples et cause simple), où acte et puissance peuvent encore être distingués. Il y aura donc $4 \times 6 \times 2 = 48$ possibilités d'explication à prendre en compte, mais, si l'on considère que, au-delà des quatre sens, les couples comportent toujours une exclusion, $4 \times 3 \times 1 = 12$ causes explicatives.

Nous aurons plus loin l'occasion de revenir sur le privilège de la cause formelle, qui, nous dira le chapitre 7, unifie avec elle cause efficiente et surtout cause finale. Pour l'instant, nous savons seulement que la cause finale est le bien de la chose (195 a 26), sans qu'il y ait à se soucier du caractère absolu, relatif, ou même illusoire de ce bien. L'étude de la nature se constitue donc indépendamment d'une réflexion morale, et ne se préoccupe de perfection que par référence au type de substance considéré. La corrélation entre l'analyse des sens du mot cause et celle de ce que ces causes produisent (on ne saurait parler seulement d'effets, car cela renverrait à la seule cause efficiente), implique cependant certaines précisions apportées à titre de conséquences de 195 b 16 à 28 : il y a simultanéité entre l'action d'une cause en acte particulière et la modification de ce à quoi elle s'applique; ce médecin soigne ce malade, qui guérit grâce à ces soins; ce maçon construit ce mur qui monte devant lui; alors que si l'on considère les deux termes de la relation dans leur simple potentialité, ils s'affranchissent l'un de l'autre. On peut donc dire tout à la fois qu'Aristote, par la prise en considération de la puissance, s'affranchit d'un mécanisme strict, où la causalité est toujours instantanée, et n'est décrite qu'à l'instant de son exercice, mais a bien conscience de cette différence, entre causalité dans l'instant et pouvoir de causer [1]. Deuxième conséquence : parce que la causalité contient toujours de l'antérieur et du postérieur, il est légitime de chercher, derrière ce qui est manifeste dans l'action, ce qui en constitue la cause «suprême» ou la plus élevée, c'est-à-dire la mieux explicative. Nous avions déjà pu remarquer, incidemment, que c'était pour un sculpteur un accident que d'être Polyclète, contrairement à tout ce que nous pourrions dire aujourd'hui du rôle de la génialité individuelle (195 a 33-34). De même nous répète-t-on que derrière l'homme, il y a l'artisan avec sa compétence particulière, et derrière l'artisan l'art dont il n'est que l'illustration. Il en va *a fortiori* ainsi pour des productions naturelles. S'il en va ainsi dans tous les cas de causalité, on peut déjà prévoir que la cause formelle et la cause finale, par la manière dont elles prennent en compte l'idée de perfection et s'affranchissent du temps, seront plus élevées que les autres. Enfin, troisième conséquence, le genre est cause du genre et l'individu de l'individu, la puissance cause des possibilités et l'acte cause de l'acte. On trouve ici encore un principe de hiérarchisation des causes, si le genre est plus cause que l'individu et l'acte que la puissance.

Quelle que soit donc la volonté d'Aristote de recenser sans hiérarchiser, et de multiplier les principes d'intelligibilité, rappelée en 195 b 28-30, il donne dès ce chapitre III les moyens de construire une physique qui sera beaucoup plus que descriptive. Mais les trois chapitres suivants (IV-V-VI) doivent d'abord critiquer une physique assujettie à l'observation des événements, et où le mécanisme a partie liée avec le hasard ou la fortune.

1. La causalité galiléo-cartésienne refusera d'appeler cause ce qui n'a la causalité qu'en puissance et ne lui accordera pas plus de valeur explicative qu'à la «vertu dormitive» de l'opium.

4. Confusions des prédécesseurs d'Aristote

La fortune (chance) et le hasard

Le chapitre IV s'attache à montrer à quel point les enquêtes antérieures sur la nature se sont montrées insuffisantes et incohérentes. Le mot fortune traduit le grec *tuchè*, qui signifie la chance, bonne ou mauvaise, la rencontre accidentelle. Le mot hasard traduit le grec *automaton*, c'est-à-dire ce qui se produit sans autre cause que lui-même et n'a donc point à être expliqué : il s'agit alors de tout changement ou mouvement spontané. Dans la mesure où l'on attribue à la fortune et au hasard un certain nombre d'effets, il faut se demander s'ils sont réductibles à l'un des sens du mot cause que l'on a recensés; on peut aussi se demander, au nom même de leur sens différent, s'ils sont identiques l'un à l'autre; il conviendrait enfin d'en donner une définition, au cas où ils seraient irréductibles à autre chose. En fait, Aristote va traiter ces trois questions dans l'ordre inverse et commencer par chercher quelle est leur essence.

L'étymologie grecque fait du hasard ce qui se produit «en vain» (*matèn*), autrement dit ce dont aucune fin ne peut rendre raison. Ainsi se meuvent les automates[1] ou bien sont engendrés certaines plantes, certains animaux, sans transmission d'une forme par un géniteur[2]. Or la fortune, bien qu'elle résulte, dans l'exemple pris par Aristote, d'une certaine finalité (Je me rends sur la place publique pour y faire des affaires, et j'y rencontre par chance celui que je souhaitais rencontrer, lui-même venu sans souhaiter me voir), ne s'explique pas par la cause finale qui a conduit à l'événement. Toute apparition d'une forme ou d'une fin à cette occasion, ne pouvant autoriser une régression de cause en cause, relève donc du hasard, et la fortune est un vain mot. On comprend, dans ces conditions, que les «anciens» n'aient jamais évoqué

1. Voir Aristote, *Métaphysique*, Δ, 2, 983 a 14.
2. Voir Aristote, *Parties des animaux*, I, 1, 640 a 28 *sqq.* Ce chapitre, de 639 a 11 à 642 b 4, est riche en analyses et en exemples éclairants sur la physique.

une cause qui n'en est pas une. Mais ce que l'on comprend moins, c'est qu'ils imputent néanmoins certains événements à la fortune et n'en parlent pas. Car il est incohérent d'avoir recours à la fortune dans la description de l'univers et de l'écarter lorsqu'il s'agit de spéculer sur les causes. Aristote prend à cet égard l'exemple d'Empédocle d'abord, celui de Démocrite ensuite, exemples empruntés à des cosmologies très différentes l'une de l'autre. Empédocle, qui s'inspire tout à la fois des intentions d'explication naturaliste des « physiologues » ioniens, des intuitions métaphysiques d'un Parménide ou d'un Héraclite, et des reflexions pythagoriciennes sur les harmonies des nombres, assigne à la Haine (*echtra*), principe matérialiste aussi bien que psychologique, le rôle d'introduire la multiplicité dans l'Unité originelle; il donne ensuite à l'Amitié (*philia*), principe aussi ambigu en sa nature, celui de réintroduire l'harmonie dans cette diversité, celle des quatre « éléments », dont il est le premier à faire mention. Mais, dans la mesure où ces deux principes antithétiques peuvent, physiquement, se traduire par l'affinité des semblables aussi bien que par la complémentarité des contraires dans la constitution des corps, ils jouent un rôle simultané dans une organisation qui exige aussi bien la diversité des parties que l'unité du tout. La dissociation en éléments n'est pas moins positive que la composition de ces éléments conformément à certaines proportions numériques. Ce qui manque, aux yeux d'Aristote, c'est l'idée d'une forme franchement opposée à une matière, et cette absence est liée à une conception purement mécaniste de ces principes d'affinité ou de séparation. Ce manque de maîtrise dans l'utilisation des principes conduit à un flottement dans l'explication, dont notre texte dénonce le caractère hasardeux. Le reproche fait à Démocrite est un peu différent, bien qu'il aille dans le même sens : Démocrite, représentant avec Leucippe du mécanisme des atomistes, et lointain prédécesseur de l'épicurisme, qui ne se développe qu'après Aristote[1], met à l'origine du monde un tourbillon, où les forces centrifuges répartissent les atomes, selon leur masse, du centre à la périphérie. Mais les atomes, par certaines propriétés intrinsèques (forme,

1. Épicure vécut de 341 à 270 av. J.-C., Aristote de 384 à 322.

grandeur, disposition), sont à la racine des êtres naturels variés, mais permettent la fixité des différentes espèces. Il y a donc quelque incohérence à retenir le hasard comme origine de la formation des tourbillons, et à recourir à un principe de stabilité dans celle des espèces végétales ou animales. Attribuant une incohérence analogue à ceux qui, tel Anaxagore, avaient recours à l'«esprit» (*nous*) pour en faire un principe mécaniste d'explication par le recours aux proportions et aux affinités [1], Aristote souligne le paradoxe qu'il y a à avoir recours à l'idée de forme dans l'explication de ce qui paraît le plus changeant (même si cette idée de forme n'est pas clairement formulée, et peut-être d'ailleurs parce qu'elle ne l'est pas) et de s'en tenir à la seule cause efficiente dans ce qui témoigne de la plus grande immuabilité, les corps célestes.

Ce qui apparaît, à travers ces premières critiques de l'idée de hasard ou de fortune, et derrière le reproche fait aux «anciens» de n'avoir jamais su en parler, ou d'en avoir parlé sans rigueur, au risque d'en venir à y voir une cause cachée, une mystérieuse intervention divine, un «asile de notre ignorance» (196 b 6-8), c'est-à-dire une cause invoquée lorsqu'on n'en perçoit aucune, c'est l'idée très précise, et très différente de la nôtre, qu'Aristote se fait d'une explication. L'explication ne peut jamais se réduire à une description, si adéquate soit-elle, mais doit montrer la fin de la chose, c'est-à-dire la permanence de la forme qui doit être réalisée. Là où nous croyons que la finalité introduit un élément de contingence, une possibilité d'être autrement, qui contredit à la nécessité, Aristote pense au contraire que la description mécaniste, ne donnant jamais de raisons, est le principe de la contingence, comme il le reproche à Empédocle (196 a 20-23), alors que la cause formelle, assurant la permanence d'une certaine fin, est d'autant plus éclairante qu'elle explique des mouvements et des productions plus nécessaires. Le mécanisme conduit même un Démocrite à faire des causes un usage qui va à l'encontre du bon sens.

Ce n'est pas parce que hasard et fortune n'ont pas l'essence de véritables causes qu'ils n'en ont cependant aucune, et le chapitre V va essayer de la préciser.

1. Platon lui faisait le même reproche dans le *Phédon*. Cf. ci-dessus, p. 17.

5. La prétendue explication par la fortune

Le chapitre V entre dans la définition la plus précise possible de la fortune, et ne se contente plus de recenser les opinions des uns et des autres pour signaler leurs convergences ou leurs incohérences. Il aborde donc ce qu'Aristote appelle une démarche philosophique ou scientifique par opposition à une démarche purement dialectique et historique[1]. D'un certain nombre de prémisses, faisant l'objet d'un accord unanime, on s'achemine vers une conclusion qui en tirera les conséquences rationnellement ou logiquement. Une première prémisse du raisonnement, exposée en 196 b 10 à 17, s'appuie sur ce fait d'expérience que nous parlons de fortune quand nous sommes en présence d'un fait qui ne se produit ni toujours ni la plupart du temps : on n'attribue par à la fortune la chute des corps; on ne lui attribue pas davantage le fait que, le plus souvent, celui qui commet des excès ruine sa santé, même s'il arrive qu'il n'en aille pas ainsi. Le fait de fortune est donc un fait rare, insolite, et il en va de même du fait de hasard. Or il existe des faits rares, des prodiges, et nous pourrions être tentés d'attribuer à la fortune ce qui ne se produit que rarement. Rareté temporelle et fortune renvoient l'une à l'autre, sans qu'il s'agisse encore d'une définition. Une deuxième prémisse s'appuie, comme la première, sur l'expérience : parmi les faits, il y en a qui ont lieu en vue d'une fin et d'autres qui n'en ont pas (196 b 18-22). Il y a donc des faits rares qui ont une fin (il y en a aussi qui n'en ont pas) et cette fin ne peut tenir qu'à la nature ou au choix de la pensée, comme on l'a vu précédemment dans l'ouvrage. La question demeure donc en suspens de savoir si les faits de fortune sont des faits rares liés ou non à la finalité, et, s'ils lui sont liés, de préciser s'ils le sont à la finalité de la nature ou à celle du choix. Aristote rappelle alors, en une troisième prémisse, que, dans la mesure où on lie la fortune à l'idée de causalité, tous les sens du mot cause peuvent être pris selon

1. À la différence de Platon et de philosophes postérieurs, Aristote appelle dialectique un raisonnement vide, né de la confrontation d'opinions vraisemblables, dont l'objet reste indéterminé et la méthode non rigoureuse.

l'acception de la causalité par soi ou de la cause accidentelle. On pourra s'étonner que les exemples donnés (le musicien ou l'homme vêtu de blanc causes de la maison) soient empruntés à la cause efficiente (un bâtisseur, d'autre part musicien, ou d'autre part vêtu de blanc, construit une maison), mais c'est un principe très général et valable pour n'importe quel type de cause que l'accident relève d'une simple coïncidence, alors que le «par soi» relève de la valeur vraiment causante et explicative de la cause. Selon le même exemple, c'est le bâtisseur que est cause «par soi» de la maison. On peut s'attendre à ce que, pour la cause finale aussi, il y ait des causes finales qui soient fins «par soi» et d'autres fins par accident. Les causes par accident, selon chaque type de causalité, sont en nombre indéfini, puisqu'elles tiennent à de simples coïncidences; la série des causes «par soi» est, en revanche, unique (196 b 23-28).

Que tirer de toutes ces prémisses? Aristote semble considérer comme acquis le lien de la fortune à la finalité et ne précisera cela qu'au chapitre VI. Il en va de même pour l'idée qu'il s'agit de finalité par choix, comme il le précisera dès 197 a 5-7, et l'on pourrait lui reprocher ici un manque de rigueur formelle. Disons pour l'en excuser qu'il renvoie la finalité naturelle aussi bien que l'absence de finalité au hasard, et non à la fortune, et que c'est seulement en VI qu'il analysera cette confusion du hasard et de la fortune, trop fréquemment faite. D'une manière plus positive, remarquons qu'il continue de se laisser guider par l'usage des mots, que l'idée de *tuchè* comporte en grec celles de bonne et de mauvaise chances, et que la chance est d'abord une notion morale ou psychologique, avant que l'on songe à y introduire intelligibilité et calcul. En fait, ce qui intéresse l'auteur, c'est la combinaison entre finalité et accidentalité, combinaison qui entraîne beaucoup plus loin que la définition par la rareté ou par la simple coïncidence. Si la fortune a la réputation d'une cause, c'est qu'elle donne toujours l'impression de n'être pas fortuite. Au point que, pour nous encore, il revient à peu près au même de croire à une bonne fortune et de dire : «Ce n'est sûrement pas un hasard si...» Venons-en donc à l'exemple célèbre, et toujours repris, de celui qui va faire ses affaires au marché, et y est conduit le même jour que son débiteur, qui y vient lui-même pour d'autres raisons que de le rembourser. Puisqu'il n'y va ni tous les jours, ni même le plus souvent, puisqu'il n'avait pas en tête de chercher son débiteur, et que celui-ci lui-même n'y vient que rarement, n'est pas toujours, quand il y va, en situation de rendre ce qu'il doit, on peut avoir le sentiment que leur rencontre n'est pas un hasard, qu'elle correspond à une intention supérieure à leurs propres motivations, bref que la fortune, la chance au moins pour le créancier, est comme une sorte de cause réalisant une fin. Aristote va en déduire que la fortune est comme un accident de la finalité elle-même.

La fortune est donc une cause par accident du point de vue de la finalité, et, à l'intérieur du champ même de la finalité, elle se produit à l'occasion d'actes faits par choix, par pensée de la fin, ou, comme on le dira plus tard de manière technique, par «causalité du concept», au sens où la conception de la fin est cause de la réalisation. Les «anciens» se trouvent justifiés d'y avoir vu quelque chose d'indéterminé, puisque tout ce qui est cause accidentelle, dans tous les sens du mot cause, est indéfini en nombre et indéterminé dans son pouvoir causal (voir 196 b 28). L'opinion commune est également fondée à voir dans la fortune quelque chose d'irrationnel (*paralogon*, dit Aristote en 197 a 18), puisque la raison est ce qui donne de la nécessité à l'événement, fait qu'il ne peut pas ne pas se produire, ou, lorsqu'elle intervient dans des faits d'expérience, et malgré le jeu contraire, parfois, de variables inconnues, entraîne la plus grande fréquence et permet une connaissance «en général». L'irrationnel prend donc souvent la figure de l'exceptionnel, mais, loin de la définir, cette rareté exceptionnelle est la conséquence de son statut dans le jeu des causes finales. Mais le caractère indéterminé de l'accident peut lui-même le situer à une distance plus ou moins grande du fait, et l'on peut apprécier les accidents relativement les uns aux autres du point de vue de la fortune : mourir de refroidissement est accidentel; devoir ce refroidissement à une coupe de cheveux malencontreuse l'est encore plus; s'être fait couper les cheveux à l'occasion de tel deuil, comme le faisaient les Grecs, l'est encore davantage si on le rapporte à l'issue de tout ce concours de circonstances. On pourrait, inversement, se demander à quel moment intervient vraiment la cause «par soi», celle qui rend l'homme un être mortel. Il semble inhérent à toute causalité physique d'intégrer à tout moment des accidents; c'est peut-être une raison de plus de limiter le recours à la fortune au jeu des seules causes finales. Même alors, cependant, la part de la fortune est si peu assignable, qu'on en vient à la mettre partout : on a, négativement, l'impression que «peu s'en faut que» telle ou telle coïncidence se soit produite, qu'on a de «presque rien» échappé à la mort ou manqué une occasion particulièrement heureuse. L'«écart» entre ce qui est et ce qui aurait pu être est si mince, que ce qui aurait pu être prend presque autant de consistance que ce qui a été. On comprend donc que, faute d'une critique véritable de la notion, les hommes aient vu la fortune partout et en aient fait une cause, bien qu'en la nommant, ils n'aient à proprement parler rien désigné (197 a 25-32).

6. Qu'est-ce que le hasard?

Le chapitre VI va revenir sur la distinction entre hasard (*to automaton*) et fortune (*tuchè*), dont le chapitre V nous a laissé pressentir que seule elle expliquait certaines confusions. C'est dans ce chapitre qu'Aristote revient aux différentes acceptions de la causalité, et notamment de la causalité accidentelle, où le jeu de la cause finale et de la cause efficiente vient brouiller les cartes, si on ne les a pas assez soigneusement distinguées.

Tout de suite, Aristote nous dit que le hasard a plus d'extension, s'applique à plus de cas que la fortune, et que c'est cette différence d'extension qui justifie le parti pris par lui précédemment de limiter le sens du mot fortune à la causalité intentionnelle[1]. Si la fortune est liée à la bonne ou à la mauvaise chance, c'est dans le domaine de l'action que ces concepts ont une acception courante, car ils sont liés à l'idée de bonheur, d'*«eudaimonia»*, comportant elle-même celle d'une faveur semi-divine. Pour l'homme, la réussite est dans l'obtention du bonheur, et les traités de morale d'Aristote s'attachent avant tout à définir celui-ci, en le distinguant d'un simple plaisir que nous partageons avec les animaux, en le distinguant aussi

1. Voir ci-dessus, p. 31.

de la possession d'un Bien universel, dont nous ne pouvons avoir une possession entière ni univoque. Le bonheur de l'homme peut, certes, avoir une définition plus ou moins conforme à ce qui fait la spécificité de sa nature, atteindre une plus ou moins grande perfection, une plus ou moins grande stabilité, mais il est ce que tous recherchent, et ne peuvent trouver que par la rencontre de leurs désirs et de leur capacité rationnelle. Disons que, la plupart du temps, *le bonheur* naît de l'obtention de fins liées à notre nature sensible, mais que nous avons su rendre raisonnables, et rechercher selon une juste appréciation. En cela, nous sommes capables de choix et nous nous distinguons de tout ce qui ne possède pas la pensée ou l'intelligence[1]. C'est donc dans le choix que nous pouvons avoir le sentiment d'être aidés ou contrariés par la fortune, comme si, par une finalité propre à elle, elle collaborait avec nous, nous faisait manquer notre but, ou au contraire nous l'accordait au-delà de toute espérance. Dès l'instant, en revanche, où un être naturel n'est pas en mesure de choisir, parce qu'il n'est pas en mesure de délibérer sur ses actions et leurs conséquences, ou sur les moyens de leur réussite, on parlera avec beaucoup plus de justesse de hasard. Le hasard, ce sera comme si ce qui est incapable de choisir avait néanmoins choisi, et cela sans intervention des causes finales, ni de sa part ni de la part de quoi que ce soit : un cheval se sauve devant le tumulte de la bataille par le jeu d'une simple causalité efficiente, et trouve dans cette fuite le salut. Un trépied bousculé va tomber, et dans cette nouvelle position, constituer un siège sans l'avoir voulu. Une pierre va être choisie pour sa forme et pour sa beauté, et devenir autel plutôt que pavé d'une rue; mais est-ce elle qui rend un culte aux Dieux? Il y a bien une fin pour le cheval dans la conservation de sa vie, dans la pierre si l'artisan lui en donne une, dans la position d'un trépied si l'homme lui donne un autre usage que le sien. Mais c'est de manière extrinsèque que ces fins sont ici atteintes, et d'un point de vue extérieur que l'on peut leur

1. Aristote assigne ce rôle de rationalisation des désirs à la vertu de *phronèsis*, qu'on traduit souvent par «prudence» de manière un peu étroite. Il admet aussi une autre vertu, propre à la raison, qui est la sagesse de celui qui pratique l'étude et le savoir désintéressés, ou *sophia*. Cette vertu nous donne, par sa pratique, un autre type de plaisir, qui est pur bonheur. Mais il n'en est pas question ici, puisqu'il s'agit d'actions dans et sur le monde.

attribuer la fortune pour cause, puisque les êtres ainsi désignés ne connaissent ni réussite, ni échec, ni chance en aucune façon, et ne recherchent pas le bonheur.

Aristote voit une confirmation de cette opposition entre hasard et fortune dans l'étymologie : si *matèn*, tel qu'on le retrouve dans *automaton*, signifie «en vain», cet «en vain» désigne toujours la non-réalisation d'une fin. C'est qu'il y a inadéquation de la cause finale et de l'effet. Par extension, on peut dire qu'un fait qui en entraîne un autre, celui-ci ressemblât-il à une fin, est vain, s'il produit un effet sans l'avoir eu pour fin. Le hasard est la réciproque de la fortune en ce que, là où la fortune, la chance, résultait d'un surcroît de finalité apporté à des actions déjà finalisées, il n'a qu'une finalité apparente, celle que nous prêtons à un mouvement au vu de ses résultats alors que de tels résultats n'étaient en rien poursuivis. Du point de vue de la finalité, le hasard est vain, et l'explication par le hasard est vaine, puisqu'elle assigne à l'événement une cause qui n'est pas la sienne. Entendons-nous cependant : si la chute d'une pierre est cause de la mort d'un homme, ce n'est pas que la chute de la pierre échappe à toute explication par les causes finales; la pierre, objet naturellement lourd, ayant été ébranlée par quelque cause efficiente, a tendu à rejoindre son lieu naturel, le bas, et c'était bien là une fin. Mais la cause finale de la chute de la pierre n'est pas la mort de l'homme, comme si un ennemi de cet homme l'avait fait exprès. On peut donc très bien, lorsqu'il s'agit d'événements naturels et de leurs conséquences, passer outre la finalité qui les régit constamment, et parler de hasard plutôt que de fortune, dès lors qu'ils prennent l'allure d'une finalité intentionnelle, car celle-ci n'est pas identique à la finalité naturelle (197 b 32-37).

À la définition courante aujourd'hui du hasard[1] comme interférence de séries causales, Aristote impose donc des nuances, dues à son recours permanent au jeu des causes finales : ou bien il s'agira d'actions humaines, toutes délibérées, mais qui atteindront un objectif lui-même non délibéré; on parlera alors de fortune, de bonne

1. Voir notamment Cournot, *Essai sur les fondements de la connaissance et sur les caractères de la critique philosophique*, chap. III, p. 33 *sqq.*, éd. J.-C. Pariente.

ou de mauvaise chance. Ou bien il s'agira de faits naturels qui, au-delà de leur finalité propre, auront une apparence de délibération parce qu'ils rencontreront en telle ou telle occasion la finalité intentionnelle des hommes. Mais, dans les deux cas, il ne s'agira jamais que d'une causalité accidentelle. Car ce qui relève de la causalité au sens absolu, de la causalité par soi, c'est ou bien la nature ou bien la pensée (198 a 4). Nous avons vu que les accidents de ces causes, par leur nombre indéfini, y introduisaient toujours l'indétermination [1] et jouaient postérieurement à la cause principale. Il ne peut donc être question, comme le font les atomistes, de les mettre à l'origine du monde, ou du ciel (198 a 6-13). Expliqueraient-ils quelque chose qu'ils le feraient de manière tout à fait seconde. Mais, en fait, ils n'expliquent rien. L'analyse de la fortune et du hasard a pour corollaire, et peut-être pour fin dans notre ouvrage, de montrer que, dans l'étude de la nature, causalité efficiente et causalité finale ne peuvent jamais être séparées l'une de l'autre, et que, dans les actions de l'homme, elles le sont seulement au prix d'une rupture de l'ordre ou d'une insuffisante unification de celui-ci. D'où le retour du chapitre VII sur l'unité entre les causes, au-delà de leur diversité.

7. L'unification des causes et leur fondement immobile

Le commencement du chapitre nous rappelle une répartition bien connue dès le début du chapitre III entre les réponses possibles à la question : «pourquoi?». On remarquera qu'Aristote donne des exemples qui ne sont pas empruntés à la physique, puisque l'explication par l'essence et la définition trouvent leur domaine privilégié en mathématiques, alors que la cause efficiente ou motrice est ici mise à l'origine d'une action humaine (se défendre), que la cause finale nous est illustrée par le but de cette action et que la cause matérielle est référée à tout devenir. Mais c'est précisément la méthode du physicien, par opposition au mathématicien par exemple, de n'en écarter aucune, et d'en traiter simultanément (198 a 22-24).

1. Voir ci-dessus, p. 31-33.

Mais tout cela a déjà été dit, et il semble que l'objet d'Aristote soit maintenant de nous dire que trois de ces causes se réduisent «dans beaucoup de cas à une seule» (198 a 24-25), ne se distinguant clairement que de la matière. D'où le caractère sinon inutile, du moins insuffisant de l'explication des atomistes par la seule matière, qui ramènerait tout au hasard. Pourquoi cette réduction des causes les unes aux autres? Que la fin et la forme ne fassent qu'un, c'est le plus facile à comprendre, puisqu'une production naturelle tend à la réalisation d'un être achevé, conforme à sa définition. Nous avions vu que le mouvement spontané des êtres naturels, le dynamisme de la vie, tendait à parvenir à une maturité qui réalisait au mieux l'*eidos*, et que cette «idée» était immanente à tout le développement, finalisant chacune de ses étapes[1]. On peut certes prendre en considération une série de fins intermédiaires, mais l'*eidos* les totalise, à la manière dont l'objet que se représente l'artisan rend compte de ses démarches et procédés successifs. Toutes les formes et toutes les fins ne sont donc pas naturelles, mais, dans les êtres naturels, forme et fin sont indissociables.

La question de l'unité entre la fin et ce qui est moteur est plus difficile. Aristote le sait si bien qu'il réfute les mécanistes, pour qui le mouvement est totalement expliqué sans le moindre recours à la finalité. Mais si tout changement et tout mouvement doivent être compris comme l'actualisation d'une puissance, ils ne peuvent avoir pour origine, pour principe, pour cause déclenchante, que l'imitation d'une activité déjà parfaite, comme on le voyait à la définition par Aristote d'un «premier moteur»[2]. Ce premier moteur agit évidemment sur le monde grâce à des intermédiaires, mais des intermédiaires qui meuvent de la même manière que lui, c'est-à-dire en en appelant au désir d'imiter ou à quelque effort analogue à ce désir. Ainsi l'enfant est-il mû, dans sa croissance, non par la semence qui est au commencement de sa vie, mais par cette actualisation de ses puissances que son père a réalisée avant lui; il est mû par l'imitation de son père comme toute l'espèce «homme» est mue, en son effort de se conserver, par l'imitation de la perpétuité du monde céleste, lui-même mû par l'activité immobile et

1. Voir ci-dessus, p. 12-p. 13.
2. Voir ci-dessus, p. 20-21.

éternelle du premier moteur, seule cause absolue du mouvement. Bien loin, comme on le verra au chapitre suivant[1], qu'il faille expliquer la récolte par la pluie, la pluie par les nuages, les nuages par l'évaporation, etc., il faut montrer comment le climat tient à la périodicité des saisons, celle-ci au cycle céleste, le cycle céleste à l'imitation de Dieu. C'est dans les événements dus au hasard que l'aspect moteur et l'aspect final sont distingués, pour autant que la finalité est apparente et tient à un regard extérieur, attentif aux seules coïncidences. Mais, dans la nature, il ne s'agit plus que d'une distinction logique, faite par la raison, et sans portée explicative. Les mécanistes prennent l'exception pour la règle, et cette exception même n'a rien de réel.

Le chapitre VII en vient donc à ce qui pourrait passer pour un assez étonnant paradoxe : il y a possibilité d'un moteur qui ne soit pas lui-même en mouvement, qui ne soit donc pas un moteur mû, et qui, de ce fait, échappe à la science de la nature, à la physique (198 a 28). À ce moteur s'apparentent, dans les productions naturelles elles-mêmes, la forme et la fin, causes dont on ne voit pas comment on pourrait les dire en mouvement (198 b 2-4), puisqu'elles s'identifient l'une avec l'autre et sont permanentes à travers tout le mouvement. Mais ces causes ou ces principes meuvent de façon naturelle sans être eux-mêmes naturels (198 a 37). Il appartient donc au physicien de les étudier et d'y avoir recours dans son explication causale et de leur subordonner l'explication immanente au mouvement naturel lui-même. C'est à permettre l'activité naturelle de ces principes non naturels que sert la cause efficiente, le seul véritable moteur mû dont nous avons l'expérience : ainsi le père, cause efficiente, transmet-il à l'enfant la forme spécifique; celle-ci conduira, par aspiration à sa véritable fin, cet enfant vers sa propre maturité, selon un processus analogue à celui par lequel le premier moteur immobile meut le monde en son ensemble vers sa propre perfection. Mais il n'y a dans cette cause efficiente ni hasard ni mécanisme. Quant à la matière, elle est bien mue, mais sans être en rien motrice; elle est simplement «ce sans quoi» rien n'adviendrait. La «nécessité» requise

1. Chap. VIII, 198 b 16-23.

par l'explication (198 b 6) ne tient pas à elle, mais à la seule cause efficiente qui transmet la forme, soit toujours, soit la plupart du temps. Autre chose est la matière dont on a besoin, qu'il faut pour obtenir le résultat, comme il faut à la conclusion d'un raisonnement des prémisses : sa nécessité n'est pas absolue mais relative, ou, comme on le dit aussi, «hypothétique». (Dans l'hypothèse où tu voudrais une maison, il te faut des briques.) Mais le recours à la matière est toujours subordonné à la fin recherchée, et seules les fins, formes, et causes efficientes porteuses de ces formes ont un effet nécessaire. Ce statut de moyen donné à la matière explique d'ailleurs qu'elle puisse faire défaut, ou ne pas être parfaitement appropriée, et qu'il y ait des ratés, des impasses, des monstruosités, qui seront d'autant plus dus au hasard qu'ils apparaîtront comme accidentels par rapport au jeu normal de la causalité. Mais le physicien prête évidemment attention à la matière qui est appropriée à chaque forme. Ce qui distingue donc le physicien de celui qui se préoccupe de théologie, ou même d'astronomie, c'est qu'il traite du moteur immobile propre à chaque espèce, et dont chaque individu de cette espèce aspire à retrouver la forme, celui par lequel chaque individu devient la substance qu'il est (198 b 9) en son existencee *hic et nunc*, et non en général. Il traite aussi de la manière dont ce devenir finalisé utilise efficacement telle matière donnée, pour présenter un exemplaire de la forme spécifique. En un domaine qui nous paraîtrait aujourd'hui différent, le physicien est aussi bien celui qui traitera du rôle de l'âme dans le devenir et l'organisation de cet être composé de matière et de forme qu'est tout être vivant[1].

Cette analyse du jeu des causes, dans ce qu'il y a de commun à certaines d'entre elles et d'hétérogène entre la cause matérielle et les autres, ouvre à une nouvelle critique du mécanisme, appuyée cette fois sur les précisions théoriques qu'il a apportées, tant à propos du privilège de la cause finale que dans la compréhension du terme «nécessité» (*anankè*). Le chapitre VIII traite du premier point et le chapitre IX du second.

1. Le *Traité de l'âme* illustre abondamment cette idée, et rencontre les mêmes difficultés à propos du moteur et du mû, pour aboutir aux mêmes exigences dans l'explication du composé vivant, notamment en l'homme.

8. Critique du mécanisme

Le chapitre VIII nous rappelle très synthétiquement que la nature est fondamentalement régie par la finalité, et que les physiciens doivent lier à ce principe général l'examen de la nécessité dans l'enchaînement des causes naturelles, c'est-à-dire des causes proprement motrices. Or les physiologues ont le plus grand mal à lier ces deux exigences : ils utilisent le plus souvent un principe d'apparence finaliste (l'amitié et la haine pour Empédocle, l'intellect pour Anaxagore[1]), pour l'abandonner aussitôt et lui substituer un pur et simple mécanisme. Il convient donc d'examiner en quoi ce que l'on appelle une nécessité mécanique est insuffisant dans l'enchaînement des causes naturelles. Examinons d'abord ce qu'est la nature dans cette perspective.

Son insuffisance

Pourquoi ne pas dire que la pluie tombe où elle peut, et, là où elle trouve une récolte suffisamment avancée, la favorise en l'accroissant? Qu'elle peut en revanche trouver le grain déjà sur l'aire et le faire pourrir? Pourquoi ne pas dire que les différentes sortes de dents venues dans notre bouche nous ont rendus aptes à broyer telle nourriture plutôt que telle autre, et que le lion est carnivore parce qu'il a des crocs, le bœuf herbivore du fait de ses incisives, bien loin que les canines soient là pour déchirer la viande et les incisives pour couper l'herbe? Si l'on pousse cette vision des choses jusqu'à son extrême limite, on en viendra à dire que se sont conservées les espèces végétales ou animales que leur organisation et leurs dons ont rendues aptes à se reproduire, à se défendre, bref à survivre, grâce à une sorte de «sélection naturelle». Nous ne voyons plus de bovins à tête d'hommes (198 b 32) parce que les autres bovins les ont éliminés. C'est une conception de la survie des espèces que l'on trouvera abondamment développées chez l'épicurien Lucrèce, dans le chant V de son *De Natura rerum* (*Sur la Nature*), au

1. Voir ci-dessus, p. 28-29.

premier siècle avant J.-C., comme conséquence de l'atomisme[1]. En d'autres termes, on revient à l'explication dénoncée au chapitre VI à l'occasion du recours au hasard et à une généralisation de la causalité accidentelle, dès qu'il y a apparence de finalité.

Aristote va dès lors présenter un certain nombre d'objections : les premières procéderont d'une critique générale du mécanisme empruntée à l'observation des faits naturels – jusqu'à 199 a 30; les autres dénonceront des contradictions inhérentes à cette explication – jusqu'à la fin du chapitre. La première objection de fond est que la nature procède avec constance, et agit de la même façon au moins la plupart du temps : un gland pousse en formant un chêne, et un lion engendre un lion. Dans le cycle de la nature pris en général, l'hiver est le plus souvent froid, l'été chaud, le printemps pluvieux, même s'il arrive que le printemps soit sec et l'été froid de temps à autre. On est étonné du contraire, et, parmi les vivants, les monstres ne sont des monstres que par leur caractère exceptionnel. Si la vraie nécessité ne tenait qu'au hasard, il naîtrait des monstres à tout moment, et en grand nombre, et l'on ne pourrait rien prévoir, laissant seulement au jeu des causes mécaniques le soin de faire le tri. L'idée même de constances de la nature, ou, selon un vocabulaire plus moderne, de lois présentes en celle-ci, nous contraint donc à préférer la finalité à toute autre explication.

Une seconde objection est tirée de ce que l'on doit appeler antérieur ou postérieur. Les êtres naturels actualisent une certaine fin, qui réside dans leur achèvement, dans leur venue à maturité : l'adulte est la fin de l'enfant et la plante la fin de sa semence. Il convient donc d'expliquer l'antérieur par le postérieur, au sens chronologique de ces termes. A cet égard, l'exemple de la production artificielle est concluant : si les choses de l'art étaient produites naturellement, cela ne changerait rien à leur processus de production, et inversement. Doit-on voir dans cet argument une sorte de cercle logique, qui en appellerait à la finalité de l'art pour prouver celle de la nature après avoir dit que l'art imitait la nature? Non,

1. Voir notamment les vers 837-924.

sans doute, car il s'agit seulement de nous montrer que, les processus étant parfaitement semblables, il n'y a aucune raison de ne pas y voir un principe identique, et d'attribuer à la finalité dans l'art ce que l'on attribuerait à autre chose dans la nature. Dans les deux cas, le terme explique donc le commencement, à l'inverse de ce que croient les mécanistes. Au point d'erreur où ils en sont, ils pourraient aussi bien dire que les maisons se construisent par hasard et sont toujours à peu près faites sur le même modèle par une pure coïcidence. En fait, nous voyons l'art compléter la nature ou l'imiter parce qu'il procède de même. Mais ce n'est pas le statut de l'imitation qu'il faut ici expliquer (lequel imite l'autre?); c'est l'imitation elle-même qui n'est fondée que par le recours à un principe commun, dont elle révèle l'omniprésence (199 a 15-19).

C'est ce que démontre le recours aux actes des animaux, ces êtres naturels qui, à la différence de l'homme, n'agissent jamais par délibération et par choix (199 a 21-30). On pourrait, en effet, hésiter, devant des actions humaines, où le choix délibéré vient souvent s'adjoindre au processus naturel, au point que l'on ne sait plus exactement quel en est le principe véritable. Construit-on une maison par le besoin naturel d'être à l'abri et d'avoir chaud, ou pour d'autres motifs, liés à la vie sociale par exemple, qui viennent se greffer sur ce besoin? Mais on constate que les hommes s'interrogent sur l'intelligence animale, et que, devant les toiles d'araignée ou la disposition des fourmilières, on hésite à attribuer à des insectes la participation à l'intelligence (*nous*) (199 a 23). On va même jusqu'à introduire une quasi-intelligence de la fin aux feuilles qui, dans une plante, vont protéger le fruit. Aristote ne se prononce pas ici sur la question de l'intelligence des hirondelles qui font leur nid, mais voit dans le seul fait que la question puisse être posée la preuve que la finalité est un principe commun à la nature (représentée par l'animal) et à l'art (représenté indiscutablement par l'homme).

Toutes ces considérations, tous ces arguments, ne tendent, en définitive, qu'à nous rappeler comment, la nature étant «composée», c'est-à-dire faite de matière et de forme, l'ensemble des causes est orienté par la cause finale, soit que ces causes s'identifient à la fin, soit que la fin ait recours à la matière comme à un instrument (199 b 9-13).

Ses incohérences

Viennent alors les objections tirées des incohérences du mécanisme. La première, tirée elle aussi de l'analogie entre la nature et l'art, relève que dans la causalité finalisée de l'art, il existe aussi des «ratés», que le grammairien ou le médecin commettent des erreurs. Les erreurs ou les monstruosités ne sont donc pas des arguments pour attribuer la causalité naturelle au seul jeu des causes mécaniques. Prendre la finalité en défaut, en telle ou telle circonstance, n'est pas un signe de l'absence de finalité. C'est tout juste le signe d'une imparfaite domination de la matière par la forme, comme il arrive dans une semence altérée accidentellement. Pas plus que les erreurs du médecin ne mettent en cause la finalité de son art, les aberrations naturelles ne peuvent mettre en cause la finalité de la nature; et ces aberrations sont, du reste, moins grandes et moins fréquentes qu'on ne le dit. L'argumentation des mécanistes vaudrait, à la rigueur, si les arts réussissaient toujours et la nature exceptionnellement; or on voit plus de fautes de grammaire ou d'erreurs médicales que de bovins à tête d'homme. Et l'on ne voit jamais un gland donner naissance à un olivier. Les hasards monstrueux sont immanents à l'espèce où ils surviennent, et ne conduisent jamais à la substitution d'une forme à une autre. Ils ne prennent donc leur intérêt que de la fixité même de l'espèce, qui atteste l'antériorité de la forme et de la fin.

Si, d'autre part, on s'en tient à la définition de *la nature* comme principe de mouvement immanent qui conduit un être vers son achèvement à travers son développement, définition dont Aristote nous avait dit dès le départ que l'expérience l'imposait[1], et qui comporte la présence d'une forme substantiellement unie au composé[2], l'explication mécaniste contredit à cette définition de la nature, alors même qu'elle prétend l'expliquer. Elle a recours, paradoxalement, à ce qui, dans la nature, *empêche* celle-ci de parvenir à ses fins, et revient à utiliser le principe contraire au principe positif d'explication. Nous avons vu, en effet, que la matière était ce qui pouvait résister à la

1. Chap. II, 193 a 2-3.
2. *Ibid.*, 193 b 2-5.

forme, empêcher celle-ci de se réaliser convenablement. Comment rendre compte de la finalité et de la forme à partir d'elle?

Dernier argument : on prétend qu'il n'y a pas de finalité là où il n'y a pas délibération, c'est-à-dire réflexion, hésitation puis choix des moyens en fonction de ce qu'on cherche à réaliser. Autrement dit, ce serait la perfection même des processus naturels qui engagerait à les considérer comme nécessaires d'une nécessité mécanique et à en exclure la détermination finale. Mais, pense Aristote, l'art lui-même ne délibère qu'à proportion de son imperfection, et le bon ouvrier n'hésite pas sur l'outil à employer ni sur les gestes à faire. L'*Éthique à Nicomaque*, lorsqu'elle analyse la délibération dans la perspective du choix d'une conduite morale, insiste sur l'idée que nous délibérons avant tout dans les arts que nous avons le moins étudiés, et là où «le résultat n'était pas toujours le même»[1]. Encore y délibérons-nous plus sur les moyens que sur les fins, car un médecin ne se demande pas, en tant que médecin, s'il doit chercher à guérir son malade[2]. Vu que, dans la nature, les intermédiaires (tel organe, telle étape) sont eux-mêmes des fins, l'absence de délibération est le signe d'une finalité plus achevée, et non d'une infériorité quelconque de la finalité comme principe explicatif.

La manière même dont les mécanistes critiquent le recours à la finalité, soit qu'ils invoquent ses échecs, soit qu'ils prétendent s'en tenir à la nature, soit enfin qu'ils évoquent la supériorité de ce qui est délibéré sur ce qui ne l'est pas, ne fait donc qu'accentuer la nécessité de recourir à elle, et de la penser comme plus accomplie dans les processus naturels. Le dernier chapitre du livre II va donc très logiquement conclure sur ce qu'Aristote envisage comme le principe d'intelligibilité le plus clair en physique, et l'opposer aux différents sens que peut prendre le terme de nécessité.

1. Livre III, chap. V, 1112 b 1-6.
2. *Ibid.*, 1112 b 12-14.

9. Les divers sens du mot *nécessité*

Le chapitre IX commence par rappeler des distinctions familières aux auditeurs et lecteurs d'Aristote, et qui sont plus développées soit dans la *Métaphysique*, Δ, chap. 5, soit, surtout, dans *Les Parties des animaux*, I, 1. On parle de nécessité quand une chose ne peut être autrement qu'elle n'est, et c'est le sens dont dérivent tous les autres; en ce sens, le nécessaire s'oppose à ce qui est simplement possible[1]. Mais on doit encore distinguer ce qui est nécessaire absolument, sans relation à autre chose que sa propre définition et sa position dans l'existence, et la nécessité hypothétique, ou conditionnelle, celle de ce qui résulte d'autre chose à titre de conséquence ou de moyen. La première nécessité est celle des êtres éternels, la seconde, celle des êtres naturels, et cela de l'aveu de tous[2]. Cela dit, dans la nécessité hypothétique, on peut encore distinguer celle qui suit le déroulement du temps et rend compte d'une genèse dans sa succession, et celle qui conditionne une organisation, permettant à une chose d'être comme elle doit être. « Il ne faut pas, lit-on dans *Les Parties des animaux*, que nous échappe, si nous devons exposer, comme l'ont fait ceux qui ont pratiqué cette étude auparavant, comment chaque chose se produit naturellement, ou comment elle est. Car la différence n'est pas mince entre ceci et cela.[3] » Exposer la genèse, poursuit le même texte, c'est dire par exemple comment telle torsion ou telle brisure a disposé la colonne vertébrale de telle espèce animale. Exposer le « comment », c'est dire comment, à travers des individus différents à bien des égards par leur corps, un homme a été engendré par un homme, avec les mêmes caractères spécifiques. Or il est manisfeste que ces deux exposés portent l'un sur la matière et l'autre sur la forme, les causes matérielles agissant mécaniquement et successivement là où la forme est, nous l'avons vu, identique et immanente à toutes les transfor-

1. *Métaphysique*, Δ, 5, 1015 a 34-35.
2. *Parties des animaux*, I, 1, 639 b 23-25.
3. *Parties des animaux*, I, 1, 640 a 10-12.

mations, leur assignant leur fin. Mais comment lier cette distinction aux sens du mot «nécessité»?

On doit parler de nécessité hypothétique quand on traite des substances composées, et les mécanistes ne se sont pas trompés en posant comme *nécessaires* certaines conditions matérielles de réalisation : on ne pourrait construire un mur sans pierres, et sans pierres que leur poids, à lui seul, attache déjà solidement au sol; on ne pourrait non plus imaginer une pesante toiture de pierres soutenue par de légers murs en bois, ou encore une scie faite d'une matière tendre, bien incapable de scier du bois. Mais, selon une distinction tout à fait fondamentale, il faut distinguer entre *ce sans quoi* une chose ne peut être ce qu'elle est et *ce par quoi* elle l'est (200 a 6-7). Sans le fer, point de scie, sans les pierres, point de mur; le fer ou les pierres sont donc nécessaires, mais cette nécessité n'est qu'hypothétique, car elle est soumise à une condition : que l'on veuille construire un mur ou fabriquer une scie conformes à leur fonction. C'est la condition qui, dans l'ordre de l'intelligibilité, est première, et il n'y a de nécessité que relativement à elle. Et Aristote peut appeler ailleurs[1] les conditions *«sun-aitiai»*, causes associées ou conjointes. La nécessité se trouve dans ce genre de causes, dans la matière donc, tandis que la fin, cause la plus explicative, est dans la définition (*logos*), comme il l'écrit en 200 a 14-15. Si l'on s'en tenait à la nécessité, on en viendrait à dire que les murs, les scies, ou les animaux se produisent sans intention, au hasard; que la cause efficiente, dont nous avons vu à quel point elle devait s'identifier à la fin, est inutile; ce serait ruiner l'idée de la nature comme puissance active, dont le terme est fixé.

Ce rapport du «ce sans quoi» au «ce par quoi», du conditionné à la condition, de la matière à la forme, Aristote va le comparer à ce qu'il y a de nécessaire dans une déduction mathématique, ou dans un raisonnement syllogistique. Le mathématicien, comme le remarquait déjà Platon, tire les conséquences d'une définition qu'il pose à titre d'hypothèse. Si l'on pose l'existence de la droite, on peut démontrer que la somme des angles d'un triangle, égale à deux angles droits, détermine une droite;

1. *Métaphysique*, Δ, 5, 1015 a 21.

mais ce n'est pas cette démonstration qui fonde l'hypothèse. Si, en revanche, je démontrais, à propos de la somme des angles, autre chose, l'hypothèse serait invalidée. Autrement dit, et dans un syllogisme par exemple, une conséquence fausse prouve que les prémisses ne sont pas vraies (si je découvrais que Socrate n'est pas mortel, cela prouverait que la prémisse : «Tous les hommes sont mortels», ou la prémisse : «Socrate est un homme», est fausse). Mais la prémisse majeure (Tous les hommes sont mortels) n'est pas la conséquence de la conclusion, quelle que soit d'autre part sa valeur de vérité. Le problème de la déduction est, aux yeux d'Arisote, de déterminer ce qui est premier et ce qui est second, le lien des deux termes (hypothèse et conséquences, ou prémisses et conclusion) étant de toute manière réciproque. Il ne se demande pas si l'on découvre quelque chose, si l'on cherche et si l'on invente, mais quel est l'ordre qui permet de comprendre. Dès le début des *Seconds analytiques*, il montre bien que l'on peut affirmer connaître et ce qui sert de point de départ et ce qui en est tiré, ce qui conduira plus d'un philosophe à reprocher à sa méthode sa stérilité[1]. Mais comprendre, c'est faire de l'universel le principe de la connaissance de ce qui est particulier. Pourquoi cette comparaison avec le recours à la finalité et à la nécessité en physique? C'est que la réciprocité est la même, bien que l'ordre suivi soit inverse. De même que si la droite existe, la somme des angles du triangle est égale à deux droits, et qu'il y a là une conséquence nécessaire, dont la non-réalisation ruinerait la condition elle-même, de même, si l'on se propose comme fin une maison, il faudra des pierres, du bois et des tuiles, et l'on peut dire que, en l'absence de ces matériaux, on ne pourra se loger. Dans ce qui est proprement naturel, aucun homme ne sera seulement possible sans chair, sans os, et sans nerfs. Il demeure que c'est la cause finale «maison», ou la cause finale «homme», qui exige le reste, comme c'était la droite qui impliquait la mesure de la somme des angles à titre de nécessité. Le nécessaire, encore une fois, n'est que le «ce sans quoi la chose est impossible», mais il n'explique pas à lui seul, ni même à titre primordial, ce qu'elle est ou sera.

1. *Seconds analytiques,* I, 1, 71 a 24-28.

Nous voyons donc une fois de plus combien la physique aristotélicienne, tout en prenant en considération le devenir qui caractérise les êtres naturels, se refuse à accorder à la succession temporelle une valeur explicative. C'est bien plutôt elle qu'il faut expliquer en ce qu'elle imite l'intemporel. Le rapprochement avec les mathématiques et la déduction tend précisément à cela, dans sa réduction de toute genèse à la finalité qui la fonde, semblable au raisonnement par lequel une définition universelle fonde ses applications successives et ses conséquences diverses. Mais ce qui explique les erreurs commises est précisément la volonté de s'en remettre à la succession comme guide. Et les physiciens mécanistes le font parce qu'ils sont trop attentifs à l'expérience immédiate, où les pierres précèdent la maison et, d'une certaine manière, la chair l'homme. Ils ne voient pas, selon Aristote, ce fait d'évidence que les êtres naturels sont des substances composées, où le principe déterminant est comme voilé par ce qu'il détermine, alors qu'en mathématiques par exemple, les objets étant «séparés» de toute matière, le jeu de l'intelligibilité ne passe pas par une expression à déchiffrer.

C'est au point que, lorsqu'il s'agit de causes finales, la nécessité hypothétique peut jouer non seulement à propos de la matière requise, mais à propos de certains éléments de la forme elle-même. C'est parce que l'on cherche un outil apte à scier qu'on joint à la scie l'idée de dents, et parce que l'on a besoin de telles dents que l'on a besoin de fer pour les y forger. Mais on pourrait se demander si les dents de la scie elle-même ne sont pas un «ce sans quoi» plutôt qu'un «ce par quoi», si certaines «parties de la notion» en font bien partie à titre de fins absolues; bref, si l'on ne pourrait pas concevoir d'autres types de scies, où l'absence de dents en appellerait à son tour à un autre type de matériau, par une alternative technique. Mais ce problème ne semble pas se poser pour les êtres naturels, à moins de les hiérarchiser, puisque chaque espèce a pour seule fonction sa conservation et sa reproduction à l'identique (200 b 4-8). S'il y a matière partout où il n'y a pas forme pure, comme le dit ailleurs Aristote[1], il semble que

1. *Métaphysique*, Δ, 11, 1037 a 1-2.

les êtres naturels ne peuvent jamais être dépourvus de matière, ni comme les êtres mathématiques, ni même seulement à titre d'êtres composés, mais jusque dans leur définition, qui ne peut se réduire, comme pour un objet technique, à celle de sa fonction. Tout appel à une explication par de purs intelligibles, comme celle que son maître Platon envisageait parfois pour en saisir aussitôt, du reste, la difficulté, est donc interdit. Mais il reste que, même dans la nature, comme disent *Les Parties des animaux* en citant littéralement Platon[1], «le devenir a pour fin l'existence (*ousia*) et non l'existence le devenir» (640 a 18-19), l'existence de la substance subordonne la matière à la fin, qui se confond avec la forme intelligible aussi bien qu'avec la cause efficiente véritable. On ne saurait donc écarter sans scrupules Aristote des philosophes «idéalistes».

Conclusion

Le livre II de la *Physique* d'Aristote, qui ne constitue pas à lui seul un ouvrage entier, ni même un traité parmi d'autres, dont la somme traiterait exhaustivement ce champ de recherches, n'échappe pas plus que ses autres œuvres au destin qui a été celui de ce philosophe : ne nous avoir laissé que ce qui était intérieur à son école, et ne pas nous avoir transmis ce qu'il destinait au «grand» public. Sans doute faut-il voir là une des raisons qui rendent ses analyses parfois discontinues, expliquent certaines redites, supposent connues des vérités énoncées ailleurs, justifient des polémiques destinées à imposer une nouvelle approche. Nous devons cependant aussi à ces circonstances des précisions assez techniques, une volonté toujours manifeste de revenir à l'essentiel, un refus de toute facilité. Si nous avons tenté d'éclairer le sens de ces chapitres, il nous resterait encore à nous demander quel intérêt ils peuvent conserver de nos jours.

Nous avons dit en introduction à quel point le titre «Physique» pouvait être trompeur aujourd'hui, où le

1. Aristote cite, de Platon, le *Philèbe*, 54 a 9.

mécanisme galiléo-cartésien d'abord, une dynamique fondée sur l'analyse mathématique ensuite, l'étude de la relativité restreinte puis généralisée et son association avec les recherches sur le couple matière-énergie, ont imposé une tout autre vision de la science de la nature. Pour suivre Aristote, il faut revenir à ce qui est son problème initial : comment comprendre les différentes formes de mouvement spontané que nous observons autour de nous? Comment peut-on y déceler des causes qui permettent son intelligibilité, c'est-à-dire la réponse à la question «pourquoi?»? Aristote voit dans les êtres vivants le modèle le plus achevé de ce qu'est la nature, et emprunte aux schèmes de la technique ce que celle-ci dissocie souvent (matériau et fonction, processus de fabrication et idée qui y préside, plus généralement, et dans un vocabulaire plus abstrait, matière et forme). Mais il sait en même temps que la technique n'est qu'un modèle d'intelligibilité, et qu'on ne peut le transposer à l'étude de la nature que *mutatis mutandis*. C'est que précisément, dans l'activité technicienne, l'organisation de l'outil, ou de la machine simple, que l'on veut produire, se distingue de sa genèse comme une fin poursuivie en pensée se distingue des moments de sa réalisation et des moyens de sa fabrication. Dans la causalité naturelle, la genèse est finalisée de part en part, et des organisations provisoires précèdent l'organisation achevée. C'est la dissociation de la matière et de la forme, de la fin et des moyens, qui explique, pour toute causalité intentionnelle et délibérante, le recours à la fortune comme à une cause, lorsque l'adaptation des moyens aux fins est insuffisante, ou paraît au contraire surdéterminée. Dans la nature, en revanche, la seule alternative à la finalité serait le hasard, mais tout ce que nous observons de permanence dans les mouvements, de fixité dans les espèces, dément une telle contingence : la seule cause matérielle paraît contradictoire avec une exigence d'intelligibilité que seul donne ce qui est universel. Parce que, d'un autre côté, les raisonnements mathématiques portent sur des êtres abstraits où la circularité de l'explication reste purement formelle, l'idée de cause finale, assimilable à une forme agissante, est la seule qui rende compte du mouvement, de sa spontanéité, de son caractère aléatoire, de l'organisation qu'il impose à une matière, elle-même adaptée à cette forme. Sans doute est-ce donc dans les sciences de la vie que les intuitions aristotéliciennes gardent leur plus grande actualité, et dans tous les phénomènes naturels où la structure paraît plus éclairante que l'analyse des éléments qu'elles peuvent avoir des résonances. Philosophe de la continuité, habitué à rechercher les formes dans la matière comme, en un autre domaine, la raison dans l'âme et dans le principe vital, cette physique ouvre la voie vers l'étude, sans cesse renouvelée, des deux aspects de notre connaissance du monde : une expérience successive de ce qui nous est donné comme étranger, et une intelligence intemporelle de ce que nous y comprenons. Mais il n'y a de nécessité des choses, et par conséquent d'intelligibilité totale, que là où il y a réciprocité de l'antérieur et de l'ultérieur, et où l'on refuse une production indéfiniment ouverte à de nouveaux temps, au bénéfice d'un temps cyclique dont la révolution des astres nous donne le modèle, et qui aspire au «toujours» nécessaire de l'éternité [1]. Le privilège de la forme et de la fin, la comparaison avec des raisonnements mathématiques auxquels il manque de porter sur des substances, ne viennent pas d'autre chose. Le divin fonde la physique céleste, que notre nature terrestre imite, et les autres «sciences» reçoivent leur lumière de cette origine, bien loin de nous donner des clefs pour ce qui est plus nécessaire qu'elles.

1. Sur cette circularité de l'explication et de la nécessité, on trouvera l'un des plus beaux textes d'Aristote en conclusion du traité *Sur la génération et la corruption* (II, 11, 337 b 14-338 b 11).

Note bibliographique

Les commentaires d'Aristote, les analyses inspirées de sa doctrine, les travaux d'historiens de la philosophie consacrés à lui existent en nombre indéfini, depuis un Moyen Âge qui en faisait tout simplement «le Philosophe». Par où commencer?

Le grand historien de la Philosophie Joseph Moreau (1900-1988) pouvait écrire, en 1962 : «Il nous semble que celui qui aurait étudié le *Traité de l'âme*, dans l'admirable édition, avec traduction et commentaire, de Rodier, serait en passe de devenir un véritable aristotélisant [1].» À propos de la *Physique II*, le commentaire de O. Hamelin à sa traduction, reprise ici, peut passer pour quelque peu érudit, quelle que soit sa valeur, aux yeux de débutants [2]. Sur le problème de la finalité, on ne saurait trop recommander, en revanche, *Les Parties des animaux*, livre I, édité, traduit et commenté par le père J.-M. Leblond [3]. Enfin, pour l'étude du sens précis des principales notions aristotéliciennes abordées ici, l'étudiant et le lecteur cultivé trouveront un instrument remarquable dans le livre récent de J.-P. Dumont : *Introduction à la méthode d'Aristote*; le choix des références, la vérité de l'interprétation, la vivante clarté de l'exposé en font une des rares synthèses que l'on puisse aujourd'hui privilégier [4].

1. G. Rodier, *Aristote, Traité de l'âme*, texte, trad. et commentaire en 2 vol., Paris, 1900. Cf. J. Moreau, *Aristote et son école*, Paris, 1962. Le livre de Rodier est réédité à la Librairie J. Vrin.
2. O. Hamelin, *Aristote, Physique II*, Paris, 1907.
3. J.-M. Leblond, *Sur les parties des animaux*, texte, trad. et commentaire, Paris, 1945.
4. J.-P. Dumont, *Introduction à la méthode d'Aristote*, Paris, 1986 (Librairie J. Vrin).

ARISTOTE

PHYSIQUE II

TRADUCTION

CHAPITRE PREMIER

192 b Parmi les êtres, les uns existent par nature, les autres en vertu d'autres causes. [Ceux qu'][1] on déclare exister par
10 nature, [ce sont] les animaux et leurs parties, les plantes et les corps simples, tels que la terre, le feu, l'eau et l'air.

Or, tous les êtres dont nous venons de parler présentent une différence manifeste avec ceux qui n'existent point par nature : chacun des premiers, en effet, a en soi-même un principe de mouvement et de fixité, les uns
15 quant au lieu, les autres quant à l'accroissement et au décroissement, d'autres quant à l'altération. Au contraire un lit, un manteau et tout autre objet de cette espèce, en tant que chacun mérite son nom et dans la mesure où il est un produit de l'art, sont dépourvus de toute tendance naturelle au changement; [s'] ils en ont une, [c'] est en
20 tant qu'ils offrent cet accident d'être en pierre, en terre ou en quelque mixte et sous ce rapport seulement; car la nature est un principe et une cause de mouvement et de

1. O. Hamelin a transcrit entre [...] des précisions de traduction qui ne font pas partie du texte grec, mais l'explicitent sans en modifier le sens. Nous avons maintenu cette présentation.

repos pour [la chose] en quoi elle réside immédiatement [et à titre d'] attribut essentiel et non pas accidentel [de cette chose].

Je dis [à titre d'attribut] non accidentel parce qu'il pourrait arriver qu'un homme, étant médecin, fût lui-même la cause de sa propre santé; et cependant ce n'est
25 pas en tant que recevant la guérison qu'il possède l'art médical; mais, par accident, le même homme est un médecin et le sujet d'une guérison : aussi ces deux [qualités] se séparent-elles l'une de l'autre. Même observation relativement à toutes les autres choses artificielles : aucune n'a vraiment en elle-même le principe de sa production; les unes l'ont en d'autres choses et hors
30 d'elles, tels une maison et tout objet fait de main d'homme; les autres l'ont bien en elles-mêmes, mais ce n'est pas par essence, [savoir] toutes celles qui peuvent être par accident causes d'elles-mêmes.

La nature est donc ce que nous avons dit. Par conséquent ont une nature toutes les choses qui possèdent un tel principe. Or toutes ces choses sont des substances : en effet, ce sont des sujets, et la nature réside toujours dans
35 un sujet. Sont [choses] conformes à la nature et toutes ces substances et tous leurs attributs essentiels, par exemple, pour le feu, la translation vers le haut; car ce n'est pas là une nature ni une chose qui ait une nature, mais c'est quelque chose qui arrive par nature et conformément à la nature.

193 a Nous venons de dire ce qu'est la nature et ce que c'est que d'être par nature et conformément à la nature. Quant à essayer de démontrer que la nature existe, ce serait
5 ridicule. Il est manifeste en effet qu'il y a beaucoup d'êtres tels [que ceux à qui nous avons attribué une nature]. Or démontrer ce qui est manifeste par ce qui est obscur, c'est le fait d'un homme incapable de discerner ce qui est connaissable par soi de ce qui ne l'est pas. C'est [une maladie] dont on peut être affligé, cela est clair : il peut arriver en effet qu'un aveugle de naissance raisonne sur les couleurs. [Mais] on voit que de tels gens sont forcés de discourir sur les mots sans avoir d'idées.
10 Selon l'opinion de quelques hommes, la nature et

l'essence des choses naturelles consistent dans leur sujet prochain et informe par lui-même : ainsi la nature du lit est le bois, celle de la statue l'airain. La preuve, dit Antiphon, c'est que si l'on enfouit un lit et que la putréfaction ait la force de faire pousser un rejeton, il se produira non un lit, mais du bois; ce qui montre que la façon conventionnelle et artificielle [donnée à la chose] n'existe [en elle] que comme accident, tandis que l'essence est ce qui présente une durée continue et reçoit tout cela. Si ces [sujets] à leur tour se trouvent relativement à d'autres dans le même rapport [où la forme était relativement à eux], comme il arrive par exemple pour l'airain et l'or relativement à l'eau, pour les os et le bois relativement à la terre ou encore dans tout autre cas, [alors, dit-on,] les nouveaux sujets constituent la nature et l'essence des premiers. C'est pourquoi d'après les uns le feu, d'après les autres la terre, d'après d'autres l'air ou l'eau et d'après d'autres encore plusieurs de ces [corps] ou tous [ensemble] constituent la nature de l'univers. Car celui ou ceux de ces corps qu'on regarde comme étant le sujet des choses, on le présente comme faisant l'essence de tout, tandis que le reste ne serait, à leur égard, qu'affections, habitudes et dispositions. Et chacun d'eux serait éternel (car il n'y aurait point de changement pour le faire sortir de sa manière d'être), tandis que tout le reste subirait à l'infini la génération et la corruption.

En un sens donc on appelle nature la matière qui sert de sujet immédiat à chacune des choses qui ont en elles-mêmes un principe de mouvement et de changement; mais, en un autre sens, c'est le type et la forme telle qu'elle est dans le concept. De même, en effet, qu'on appelle art [dans les choses] ce qu'il y a [en elles] de conformité à l'art et de technique, de même on appelle nature [ce qui constitue dans les choses] la conformité à la nature et le caractère naturel. Or là [c'est-à-dire dans le domaine des choses artificielles] nous ne dirons pas d'un objet qu'il est conforme à l'art, qu'il y a en lui de l'art, s'il n'est [par exemple] qu'un lit en puissance et ne possède pas encore la forme du lit; [ne disons donc] pas non plus [l'équivalent] à propos des choses naturelles [dans le

même cas] : car la chair ou l'os en puissance ne possède
193 b pas encore sa nature et n'existe pas par nature jusqu'à ce qu'il ait reçu la forme de la chair ou de l'os telle qu'elle est dans le concept, celle que nous énonçons pour définir l'essence de la chair ou de l'os. De sorte que, en cet autre sens, la nature doit être, dans les choses qui possèdent en elles-mêmes un principe de mouvement, le type et la
5 forme, [forme] non séparable si ce n'est logiquement. Quant à ce qui résulte de [la réunion] de ces deux [termes, matière et forme], ce n'est plus la nature, mais c'est une chose existant par nature, un homme par exemple. Cette nature est plus [nature] que la matière : en effet chaque chose est dite [être ce qu'elle est] plutôt quand elle est en acte que lorsqu'elle est en puissance. En outre un homme naît d'un homme (mais non un lit d'un lit et c'est
10 pourquoi on dit que la figure du lit n'en est pas la nature, que c'est le bois [qui est cette nature], parce que, par bourgeonnement, il se produirait du bois et non un lit); or si cela est, c'est encore que la forme constitue la nature, car une homme naît d'un homme.

En outre, la φύσις, au sens de génération, est le passage à la φύσις [au sens de nature]. Car, sans doute, le mot ἰάτρευσις [quoique de formation analogue au mot φύσις dans le sens de génération] ne signifie pas le passage à
15 l'ἰατριαή, mais à l'ὑγίεια, puisque l'ἰάτρευσις vient nécessairement de l'ἰατρική au lieu d'y aboutir; mais c'est un autre rapport qu'il y a entre φύσις [au sens de génération] et φύσις [au sens de nature], car le φυόμενον [ou l'engendré], en tant qu'on dit de lui : φύεται [c'est-à-dire en tant que sa génération est en train de s'accomplir], va d'un point de départ vers un terme. Vers quel terme? Assurément, ce terme n'est pas ce dont l'engendré vient, mais ce vers quoi il tend. [Or, ce vers quoi il tend, c'est la forme.] Donc c'est la forme qui est la nature.

Mais la forme et la nature se disent en deux sens, car la
20 privation est forme en quelque façon. La privation est-elle donc un contraire dans la génération absolue aussi ou bien n'en est-elle pas un? Nous aurons à le rechercher plus tard.

CHAPITRE II

Après avoir distingué les divers sens du mot nature, il est à propos d'examiner quelle différence il y a entre le mathématicien et le physicien. En effet les surfaces, les solides, les longueurs et les points sur lesquels spécule le mathématicien [ne] sont [que] les attributs des corps naturels; et d'autre part l'astronomie est-elle autre chose que la physique ou n'en est-elle pas [plutôt] une partie? Il serait étrange qu'il appartînt au physicien de connaître l'essence du soleil et de la lune, nullement leurs attributs essentiels, [étant donné] surtout que, en fait, les physiciens parlent de la figure de la lune et du soleil, se demandent si le monde et la terre sont sphériques ou non. La vérité est donc que ces attributs sont bien aussi l'objet du mathématicien mais non en tant qu'ils sont les limites de corps naturels. Et s'il étudie les attributs, ce n'est pas en tant qu'appartenant à des substances de telle ou telle nature. C'est pourquoi il sépare les [attributs]; et en effet ils sont, par la pensée, séparables du mouvement. Cette séparation est indifférente, et il n'en résulte aucune erreur.

Quant aux partisans des idées, ils font la même opération sans qu'ils s'en aperçoivent : car ils séparent les essences naturelles, bien moins séparables que les essences mathématiques. On s'apercevra de la différence dès qu'on essaiera de donner des définitions touchant l'un et l'autre [de ces deux ordres de choses], qu'il s'agisse des sujets eux-mêmes ou des accidents. L'impair, le pair, le droit et le courbe d'abord, puis, [pour passer aux sujets], le nombre, la ligne et la figure existeront sans le mouvement; mais non pas la chair, l'os, l'homme : ces derniers termes sont analogues au nez camus et non au courbe. Les parties les plus physiques des mathématiques, soit l'optique, l'harmonique et l'astronomie, font aussi apercevoir [cette même différence], car leur rapport [à la physique] est inverse de celui de la géométrie [à la même science] : la géométrie étudie la ligne physique en tant que [la ligne n'est] pas physique; l'optique, au contraire, étudie la ligne mathématique, mais en tant que, de mathématique, la ligne est devenue physique.

La nature ayant donc deux sens, celui de forme et celui de matière, il faut l'étudier de la même manière que nous chercherions l'essence du camus et, par conséquent, des objets de cette sorte ne sont ni sans matière ni pourtant
15 considérés sous leur aspect matériel.

Mais quoique cela soit ainsi, on pourrait continuer de se demander, la nature étant double, de laquelle s'occupe le physicien ou si c'est du composé des deux. Que si c'est du composé des deux, par là même il s'occupe de l'une et de l'autre. La question revient donc à savoir si c'est à une seule et même science, la physique, qu'il appartient de connaître l'une et l'autre. A regarder les anciens, il semblerait que la physique portât sur la matière, car
20 [seuls] Empédocle et Démocrite se sont un peu attachés à la forme et à la quiddité. Mais s'il est vrai que l'art imite la nature et que quand il s'agit des choses artificielles un même savoir connaisse la forme et la matière dans certaines limites (par exemple c'est au médecin de connaître la santé, puis la bile et le flegme desquels est faite la santé; pareillement, c'est à celui qui
25 exerce le métier de bâtir de connaître la forme de la maison et que sa matière consiste en tuiles et en bois; ainsi également pour les autres arts), alors il doit appartenir à la physique de connaître les deux natures.

En outre, c'est de la même science que relèvent ce qu'on a en vue ou la fin et ce qui est en vue de la fin. Or la nature est fin, est chose qu'on a en vue (en effet, là où il y a un terme pour un mouvement continu, [et tels sont les
30 mouvements naturels], ce terme est fin, est quelque chose qu'on a en vue. Aussi le poète est-il ridicule quand il va jusqu'à dire : «Il a atteint le terme final en vue duquel il était né.» Car ce n'est pas toute espèce de terme qui prétend être une fin, c'est seulement celui qui est le meilleur), pendant que, d'autre part, les arts font leur matière, les uns [la faisant] absolument, les autres l'appropriant à leurs besoins et que nous-mêmes nous
35 faisons usage de toutes choses en les considérant comme existant en vue de nous. (En effet, nous sommes nous-

mêmes des fins en un sens et la chose qu'on a en vue se prend en deux sens, comme nous l'avons dit dans notre
b ouvrage sur la philosophie). Il y a donc deux sortes d'arts qui commandent à la matière et, [par suite], la connaissent : ce sont, d'une part, les arts qui font usage des choses, et, de l'autre, ceux qui, parmi les arts poétiques, sont architectoniques. Aussi l'art qui fait usage des choses est-il, à sa façon, architectonique, avec cette différence que la première sorte d'arts connaît la forme, tandis que celui des arts, qui est architectonique parmi les arts poétiques, connaît la matière. (En effet, le pilote connaît et prescrit quelle doit être la forme du gouvernail, l'autre [artisan] de quel bois le gouvernail doit être fait et au moyen de quels mouvements.) En somme [toute la différence entre la nature et l'art est que] dans les choses naturelles, l'existence en est donnée. [Mais, d'un côté comme de l'autre, la connaissance de la fin et celle de la matière ne font qu'un.]

Enfin la matière est un relatif, car, autre forme, autre matière.

Maintenant, jusqu'à quel point le physicien doit-il connaître la forme et l'essence? N'est-ce pas dans la mesure où le médecin connaît les tendons et le fondeur l'airain, c'est-à-dire jusqu'à un certain point? En effet, toutes les formes naturelles sont en vue de quelque chose et appartiennent à des êtres dont l'essence n'est séparable que spécifiquement et réside dans la matière, puisque c'est, avec le soleil, un homme qui engendre un homme. Quant à la manière d'être et à l'essence de l'être séparé, les déterminer est l'œuvre de la philosophie première.

CHAPITRE III

Après ces explications, nous avons à nous occuper des causes et à chercher ce qu'elles sont et quel en est le nombre. Le présent traité, en effet, a pour but un savoir; or personne ne croit savoir une chose avant d'avoir saisi le pourquoi de cette chose (c'est-à-dire saisi sa cause
20 première); il est donc évident que c'est là ce que nous avons à faire nous-mêmes au sujet de la génération et de la corruption, ainsi que de tout changement naturel, afin que, connaissant les principes de ces changements, nous tâchions d'y ramener toutes nos recherches.

En un sens, on appelle cause ce dont une chose est faite et qui y demeure immanent : ainsi l'airain est cause de la
25 statue, l'argent de la tasse et les choses plus générales [que l'airain et l'argent sont causes aussi de la statue et de la tasse].

En un second [sens, on appelle cause] la forme et le modèle, je veux dire la définition de la quiddité et aussi les choses plus générales qu'elle : ainsi le rapport de deux à un [est la cause] de l'octave et encore, d'une manière générale, le nombre et tout ce qui fait partie de la définition [du rapport de deux à un.]

En un autre [sens encore, on appelle cause] ce dont
30 vient le premier commencement du changement ou de la mise au repos : ainsi l'auteur d'une décision est cause, de même le père est cause de l'enfant et, d'une manière générale, l'efficient est cause de ce qui est fait et ce qui fait changer de ce qui change.

En un dernier [sens, on appelle cause] la fin, je veux dire la chose qu'on a en vue : ainsi la santé est la cause de la promenade. En effet, pourquoi la promenade? C'est, disons-nous, afin d'avoir la santé et, en parlant de cette
35 manière, nous croyons avoir indiqué la cause. Et [nous croyons avoir indiqué] du même coup [celle] de toutes les choses qui, mises en mouvement par une autre chose encore, sont intermédiaires entre [ce moteur et] la fin, comme [sont intermédiaires] entre [le moteur et] la santé
195 a l'amaigrissement, la purgation, les remèdes, les instru-

ments : car toutes ces choses sont en vue de la fin et ne diffèrent entre elles [que] parce que les unes sont des actions et les autres des instruments.

Tel est donc vraisemblament le nombre des acceptions dans lesquelles on prend les causes. Mais, par suite de cette pluralité de sens, il arrive qu'une même chose ait plusieurs causes et cela non par accident : ainsi, pour la statue, la statuaire et l'airain, et cela non en tant que la statue est autre chose, mais en tant que statue; seulement il y a une différence : l'une de ces choses est cause comme matière, l'autre comme ce dont vient le mouvement. Il y a même des choses qui se trouvent être mutuellement causes l'une de l'autre; ainsi, les exercices pénibles sont cause du bon état du corps et celui-ci est cause des exercices pénibles; seulement ce n'est pas dans le même sens : l'une de ces choses est cause comme fin, l'autre comme principe du mouvement. Enfin, la même chose est cause des contraires; et, en effet, ce qui par sa présence est cause de tel effet, nous en regardons quelquefois l'absence comme cause de l'effet contraire; ainsi, l'absence du pilote est la cause du naufrage, alors que sa présence eût été cause du salut du bateau.

[Quelles que soient] d'ailleurs [les diverses nuances que chaque classe comporte], toutes les causes que nous venons d'indiquer tombent très manifestement sous quatre classes. Les lettres par rapport aux syllabes, les matériaux par rapport aux objets fabriqués, le feu et les autres [éléments] par rapport aux corps [composés], les parties par rapport au tout, les prémisses par rapport à la conclusion sont causes comme ce dont les choses sont faites. Des choses que nous venons d'opposer, les unes sont donc causes à titre de sujet, telles les parties; les autres sont causes à titre de quiddité* : le tout, le composé, la forme. De leur côté, la semence, le médecin, l'auteur d'une décision et, d'une manière générale, l'efficient, tout cela est cause comme ce dont vient le commencement du changement, de l'immobilité ou du mouvement. D'un autre côté [encore] une chose est cause, à titre de fin et de bien, des autres choses, car ce qu'on a en vue veut être la chose excellente par-dessus les autres et leur fin : or il est indifférent qu'on dise [ici] que la cause est le bien lui-même ou qu'elle est le bien apparent.

Tels sont donc la nature et le nombre des causes en tant que [ramenées à des] espèces; mais les aspects des causes [individuellement] énumérés sont une multitude. Toutefois ces aspects mêmes, quand on les résume sous certains chapitres, deviennent moins nombreux. On peut, en effet, distinguer plusieurs sens dans lesquels on parle des causes [lorsqu'on les considère quant à la variété de leurs aspects]. [C'est ainsi que], même parmi des causes 30 d'une espèce donnée, l'une est antérieure et l'autre postérieure : tels, par rapport à la santé le médecin et le savant, par rapport à l'octave le double et le nombre; tels, d'une manière générale, la classe et, par opposition, le particulier. [En parlant de causes d'une même espèce, on distingue] encore [les causes par soi et] les causes accidentelles et [celles-ci de] leurs genres : ainsi c'est autrement que Polyclète et le statuaire sont causes de la statue, 35 parce que c'est pour le statuaire un accident que d'être Polyclète; et, de leur côté, les classes qui embrassent l'accident [sont causes autrement que l'accident], dans le cas, par exemple, où l'on dirait que l'homme, ou même 195 b en général l'animal, est cause de la statue. Il y a du reste, en un autre sens, des accidents qui sont plus rapprochés et d'autres plus éloignés, comme dans le cas où l'on dirait qu'un blanc et un musicien sont causes de la statue. Mais toutes les causes, soit proprement dites, soit par accident, 5 se prennent tantôt comme puissances et tantôt comme actes : par exemple la cause de la construction d'une maison, [c'est] le constructeur ou le constructeur en train de construire. A propos des choses dont les causes sont causes, il faudrait répéter ce que nous venons de dire : par exemple, c'est de cette statue, ou de la statue, ou en général de l'image, c'est de cet airain, ou de l'airain, ou en général de la matière [que la cause est cause] et de même pour les choses qui ne sont qu'accidentellement causées 10 par les causes. Ajoutons que les choses dont les causes sont causes et les causes peuvent être prises [et suivant chacune de leurs acceptions séparément et] en en combinant plusieurs : on dira, par exemple, non pas que Polyclète ou que le statuaire, mais que le statuaire Polyclète est cause de la statue. Néanmoins, toutes ces acceptions se ramènent au nombre de six, dont chacune comporte elle-même deux acceptions ; ce sont : le particulier et le genre, le par soi et l'accident (et aussi l'accident et ses genres), le combiné et le simple, toutes ces acceptions se rapportant chacune tantôt à l'acte et tantôt à la puissance.

La différence est que les causes en acte et particulières existent ou sont inexistantes en même temps que ce dont elles sont causes : ainsi ce médecin, en train d'appliquer un remède, existe en même temps que ce malade qu'il est en train de guérir, et ce constructeur, en train de construire, existe en même temps que cette maison qu'il est en train de construire, tandis qu'il n'en est pas toujours de même pour les [causes] en puissance [et les choses dont elles sont les causes] : car la maison et le constructeur ne se corrompent pas en même temps.

[Quelle que soit] d'ailleurs [la variété des causes], il faut toujours, pour chaque chose, chercher sa cause suprême, comme en tout le reste [on recherche le parfait] : par exemple, l'homme construit parce qu'il est constructeur, et le constructeur l'est par l'art de construire : là est donc la cause qui est plus primitive que les autres ; et ainsi dans tous les cas.

Ajoutons que les genres sont causes des genres et le particulier du particulier : par exemple, le statuaire est cause de la statue et ce statuaire de cette statue ; que les puissances sont causes des possibles, les [causes] en acte des choses en acte. Contentons-nous de cette détermination du nombre des causes et des différents sens suivant lesquels elles sont causes.

CHAPITRE IV

Cependant on parle de la fortune et du hasard comme étant eux aussi des causes; beaucoup de choses, [dit-on], existent et arrivent par l'action de la fortune et par celle du hasard. Nous avons donc à rechercher sous quel titre, parmi les causes que nous avons énumérées, se placent la fortune et le hasard; puis si la fortune et le hasard sont la même chose ou s'ils diffèrent, et, question plus générale, 35 quelle est l'essence de la fortune et du hasard.

[Avant tout, existent-ils?] On se demande, en effet, quelquefois s'ils existent ou non. Aussi prétend-on que 196 a rien n'arrive par le fait de la fortune et que, pour toutes les choses qui sont dites provenir du hasard ou de la fortune, il y a une cause déterminée. Lorsqu'un homme, par exemple, vient par fortune sur la place publique et y rencontre celui qu'il voulait, mais sans s'y attendre, la cause [de la rencontre] c'est qu'il a voulu se rendre sur la 5 place publique pour ses affaires. De la même manière, pour les autres événements attribués à la fortune, il est toujours possible de trouver une cause [à l'œuvre] et non la fortune. Si d'ailleurs la fortune existait, il y aurait vraiment une étrangeté manifeste dans ce fait, qu'on ne s'expliquerait pas, savoir que, parmi les anciens sages qui ont traité des causes de la génération et de la corruption, 10 jamais personne n'a rien précisé sur elle. C'est semble-t-il, que, selon leur jugement aussi, rien n'existe par la fortune.

Mais voici qui est surprenant à son tour : il y a beaucoup de choses qui arrivent ou existent par le fait de la fortune ou du hasard et qui toutes, on ne l'ignore pas, peuvent, comme le demande le vieil argument contre l'existence de la fortune, être rapportées à quelqu'une des causes [déterminées] des événements : or, tout le 15 monde soutient, malgré tout, que parmi les événements les uns proviennent de la fortune et que les autres ne proviennent pas de la fortune.

Aussi les anciens sages devaient-ils parler, dans quelque mesure au moins, de la fortune; [et comme],

d'ailleurs, la fortune n'était certes pas à leurs yeux identique à quelqu'un de ces principes tels que l'amitié, la discorde, l'esprit, le feu ou tout autre pareil, [nous dirons] donc [que] c'est une étrangeté [de leur part] que d'avoir passé sous silence la fortune, soit qu'ils n'en
20 admissent pas, soit qu'ils en reconnussent l'existence, et cela alors surtout qu'ils en font usage. Ainsi Empédocle dit que ce n'est pas constamment que l'air se sépare [pour se placer] tout en haut, mais qu'il en est [à cet égard] comme il plaît à la fortune; tellement qu'il écrit dans sa cosmogonie : «Il se rencontra que l'air s'étendit alors de cette façon, mais souvent [ce fut] d'une autre.» Ce [philosophe] dit encore très souvent que les parties des animaux ont été produites par le fait de la fortune.
25 D'autres assignent comme cause à notre ciel et à tous les mondes le hasard; en effet, c'est du hasard que provient la formation du tourbillon et du mouvement, qui ont séparé [les éléments] et amené l'univers à l'ordre que nous voyons. Or ceci encore est bien pour surprendre. Ils professent, en effet, que l'existence et la production
30 des animaux et des plantes ne sont pas dues à la fortune, que la cause en est dans la nature, dans l'esprit, ou dans quelque autre chose de tel (car, [disent-ils], ce n'est pas ce qui plaît à la fortune qui naît de la semence de chaque être; de celle de tel être, [c'est] un olivier, de celle de tel autre, [c'est] un homme), tandis que le ciel et les plus divins des êtres visibles proviendraient du hasard sans
35 avoir aucune cause comparable à celle des animaux et des plantes. Si toutefois il en était ainsi, cela même aurait
196 b été digne de remarque et on aurait bien fait d'en parler. Car, outre que ce qu'on avance est, à d'autres égards encore, contraire à la raison, l'étrangeté de la thèse est rendue plus grande par le fait qu'on voyait que dans le ciel rien n'arrive par hasard, au lieu que, dans les choses qui, [disait-on], ne proviennent pas de la fortune, beau-
5 coup d'effets proviennent de la fortune; cependant c'est le contraire qui devrait être.

D'autres encore pensent que la fortune est une cause, mais cachée à la raison humaine, parce qu'elle est quelque chose de divin et de supérieur. Ainsi [le hasard et la fortune existent, et] nous avons à chercher ce qu'est le hasard et ce qu'est la fortune, s'ils ne font qu'un ou diffèrent, et comment ils rentrent sous les causes que nous avons distinguées.

CHAPITRE V

10 [Tout] d'abord donc nous voyons des [faits] qui se produisent toujours de même, d'autres qui ont lieu la plupart du temps : or il est évident que la fortune n'est dite être la cause ni des uns ni des autres, et que les effets de la fortune [ne sont dits être] ni du nombre des faits nécessaires, ni du nombre de ceux qui ont lieu la plupart du temps. Mais comme il y a des faits qui se produisent par exception à ceux-là, et que ce sont eux que tous 15 affirment être des effets de la fortune, il est évident que la fortune et le hasard existent : car nous savons que de tels faits sont des effets de la fortune, et que les effets de la fortune sont de tels faits.

Maintenant, parmi les faits, les uns se produisent en vue de quelque chose, les autres non; et parmi les premiers, les uns [se produisent] par choix, les autres non par choix, mais les uns et les autres parmi ceux [qui ont lieu] en vue de quelque chose; il est donc manifeste que, 20 parmi les faits qui font exception à la nécessité et à ce qui a lieu la plupart du temps, il y en a qui peuvent exister en vue de quelque chose. Or les faits qui existent en vue de quelque chose sont tous ceux qui peuvent être accomplis par la pensée ou par la nature.

Lors donc que de tels faits se produisent par accident, nous disons que ce sont des effets de la fortune. (De même, en effet, que l'être est tantôt par soi, tantôt 25 par accident, de même en peut-il être des causes : par exemple, l'art de bâtir est la cause par soi de la maison, le blanc et le musicien [en sont les causes] par accident. La cause par soi est en même temps [une cause] déterminée : car la multitude des accidents possibles d'une chose est infinie.) Ainsi, comme nous le disions, lorsque ce [caractère accidentel] se rencontre dans des faits susceptibles 30 d'être produits en vue de quelque chose, on dit qu'ils sont

des effets du hasard ou des effets de la fortune. (Nous aurons tout à l'heure à marquer la différence de ces deux [causes]; pour le moment, contentons-nous de cette [vérité] évidente que toutes les deux sont parmi les faits susceptibles d'être produits en vue de quelque chose.) Par exemple, [un homme] s'il avait su, aurait pu aller [en tel lieu] pour recevoir son argent, alors que [son débiteur] y touche le montant d'une quête; il y est allé, mais non en
35 vue de cela; il [n'] y est allé et ne l'a fait pour toucher [son argent que] par accident; et, [d'une part], cet [acte d'aller là], [il l'a accompli] alors qu'il ne se rend pas la plupart
197 a du temps ou nécessairement en ce lieu [et], d'autre part, la fin, [c'est-à-dire] le recouvrement [de la dette], n'est pas du nombre des causes [finales] contenues dans [la nature de l'être] lui-même, mais du nombre des choses qui relèvent du choix et de la pensée. Dans ces conditions on dit que [cet homme] est allé [là] par un effet de la fortune. Si, au contraire, [il y était allé] par choix, en vue de ce [recouvrement], et soit en s'[y] rendant toujours, soit comme recouvrant [là de l'argent] le plus souvent,
5 alors [il n'y serait] pas [allé] par un effet de la fortune. Il est donc évident que la fortune est une cause par accident [dont les effets se rangent] sous [le genre de] ce qui arrive en vue de quelque chose dans [l'espèce de] ce qui relève du choix; d'où il suit que la fortune et la pensée se rapportent aux mêmes choses, car le choix ne [va] pas sans la pensée.

En somme, il est nécessaire que les causes d'où les effets de la fortune sont susceptibles de provenir soient indéterminées. De là vient que la fortune passe pout être [de la classe] de l'indéterminé et [pour être] cachée à
10 l'homme et qu'on peut, en un sens, émettre l'opinion que rien n'est produit par la fortune. Tout cela, en effet, se dit justement parce qu'avec raison. Car, en un sens, quelque chose est produit par la fortune, puisque quelque chose se produit par accident et que la fortune est une cause par accident; mais comme [cause] absolue, la fortune n'est cause de rien : ainsi le constructeur est cause de la maison
15 et accidentellement le joueur de flûte; et, du fait que, étant allé là, on a recouvré son argent, sans y être allé en vue de cela, [les causes sont] en quantité infinie : [y être

allé] par la volonté de voir quelqu'un ou comme demandeur, ou comme défendeur. De même, dire que la fortune est quelque chose de contraire à la raison est juste; car la raison [porte] sur ce qui est toujours ou sur ce qui est la plupart du temps, tandis que la fortune [porte] sur ce qui fait exception à ces deux [ordres de] choses. (Aussi, comme les causes [qui sont causes] de cette façon,
20 [c'est-à-dire relativement à des effets qui ne sont ni toujours ni la plupart du temps ou en d'autres termes les causes accidentelles] sont indéterminées, la fortune est elle-même [une cause] indéterminée. Cependant on pourrait se demander dans quelques cas si n'importe quelles causes sont susceptibles d'être [les causes des effets] de la fortune, [si], par exemple, [la cause] de la santé [n'est pas] le courant d'air ou l'échauffement dû au soleil, et non le fait que les cheveux ont été coupés : car, parmi les causes
25 par accident, les unes sont plus prochaines que les autres.) D'autre part, on dit [que] la fortune [est] bonne lorsqu'un bien en résulte, mauvaise lorsque [c'est] un mal; qu'elle [est] fortune prospère ou au contraire infortune, si ce [bien] et ce [mal] ont de la grandeur. Par suite, [on parle] aussi [de] fortune prospère et [d']infortune lorsqu'il s'en faut de peu qu'on ait éprouvé un grand mal ou un grand bien : car la pensée prononce que ce [bien] et
30 ce [mal] sont comme s'ils avaient existé, parce que le peu s'en faut passe pour un écart nul. [On dit] encore [que] la fortune prospère est mal sûre [et] avec raison : car la fortune [tout court] est [elle-même] mal sûre, puisque aucun des effets de la fortune ne saurait avoir lieu ni toujours ni la plupart du temps.

En résumé, la fortune et le hasard sont, comme nous l'avons dit, des causes par accident [relativement à] des [effets] qui comportent de se produire autrement que d'une seule et même façon ou [même autrement] que la plupart du temps et [encore relativement à] ceux [de ces
35 effets qui sont] susceptibles d'avoir lieu en vue de quelque chose.

CHAPITRE VI

Mais il est différent en ce que le hasard a plus d'extension : car tous les effets de la fortune sont des effets du hasard, tandis que ceux-ci ne sont pas tous des
197 b effets de la fortune. Il y a, en effet, fortune et effets de la fortune pour tous ceux à qui peuvent s'attribuer l'heureuse fortune et d'une manière générale l'activité pratique. Aussi est-ce nécessairement sur les objets de l'activité pratique que la fortune s'exerce. La preuve en est qu'on regarde l'heureuse fortune comme identique au bonheur ou peu s'en faut, et que le bonheur est une
5 certaine activité pratique, puisque c'est une activité pratique heureuse. Ainsi les êtres qui ne peuvent agir d'une activité pratique ne peuvent non plus faire quelque chose qui soit l'effet de la fortune. D'où il suit que nul être inanimé, nulle bête, nul enfant n'est l'agent d'effets de la fortune parce qu'il n'a pas la faculté de choisir ; et il n'y a non plus pour eux ni heureuse fortune ni infortune, si ce
10 n'est par métaphore, comme Protarque disait que les pierres dont sont faits les autels jouissent d'une heureuse fortune parce qu'on les honore, tandis que leurs compagnes sont foulées aux pieds. En revanche, ces choses elles-mêmes peuvent, en quelque façon, pâtir par le fait de la fortune, lorsque celui qui agit sur elles par son activité pratique agit par le fait de la fortune ; autrement, elles ne le peuvent.

Pour le hasard, il appartient aux animaux et à beaucoup des êtres inanimés : ainsi, on dit que la fuite du
15 cheval est un hasard parce que, ayant fui, il a trouvé le salut sans qu'il ait fui en vue de trouver le salut. De son côté, la chute du trépied est un hasard : car le trépied est debout en vue de servir de siège, mais ce n'est pas en vue de le faire servir de siège que sa chute a eu lieu. Il est donc évident que, d'une manière générale, dans le domaine des choses qui ont lieu en vue d'une autre, quand des choses ont lieu sans avoir en vue le résultat et en ayant
20 leur cause finale en dehors de lui, alors nous disons que ce résultat est un effet du hasard et, d'un autre côté, nous appelons effets de la fortune tous ceux des effets du

hasard qui sont parmi les choses qu'on pourrait choisir et relèvent d'êtres capables de choix.

La preuve [que le hasard est bien tel], c'est que nous prononçons le mot en vain (μάτην) lorsqu'une certaine chose qui est en vue d'une autre n'amène pas ce en vue de quoi elle était. Par exemple, on se promène en vue d'obtenir une évacuation; si, s'étant promené, elle ne 25 survient pas, on dit qu'on s'est promené en vain et que la promenade a été vaine, montrant ainsi que cela est en vain qui étant de sa nature en vue d'une autre chose ne produit pas cette chose en vue de quoi sa nature était d'exister; car, si l'on disait qu'on s'est baigné en vain sur cette raison que le soleil ne s'est pas ensuite éclipsé, on serait ridicule, cela n'étant pas en vue de ceci. Ainsi donc le hasard (τὸ αὐτόματον), pour s'en rapporter à son nom même, existe lorsque la chose [qui sert d'antécédent à 30 l'effet du hasard] est par elle-même en vain (αὐτὸ μάτην). Ainsi la chute d'une pierre n'a pas lieu en vue de frapper quelqu'un; donc, sous ce rapport, la chute de la pierre vient du hasard, car, si elle n'était pas un hasard, la chute serait du fait de quelqu'un et provoquée en vue de frapper.

Or c'est surtout dans les productions de la nature que des effets de la fortune se distinguent de ceux du hasard : car en face d'une production de la nature, alors même qu'elle est contraire à la nature, nous ne disons pas 35 qu'elle est un effet de la fortune, mais plutôt qu'elle est un effet du hasard. Et toutefois cette production contraire à la nature est elle-même autre chose qu'un effet du hasard : car la cause finale d'un effet du hasard est hors de cet effet, tandis que celle de cette production est au-dedans d'elle-même.

198 a Nous venons de dire ce qu'est le hasard, ce qu'est la fortune et en quoi ils diffèrent l'un de l'autre. Maintenant, parmi les modes de la cause, ils sont l'un et l'autre dans les principes du mouvement : toujours, en effet, ils sont une [sorte de] cause naturelle [ou de] cause pensante, seulement, de ces [sortes de causes], la multitude 5 est indéterminée.

Mais puisque le hasard et la fortune sont, lorsque ces faits ont une cause accidentelle, causes de faits dont

l'intellect ou la nature pourraient être causes, et puisque rien d'accidentel n'est antérieur à ce qui est par soi, il est évident que la cause accidentelle elle-même n'est pas antérieure à la cause par soi. Le hasard et la fortune sont
10 donc postérieurs à l'intellect et à la nature. Ainsi supposé que le hasard soit, autant qu'il se peut, la cause du ciel, il faudra que, antérieurement, l'intellect et la nature soient la cause et de beaucoup d'autres choses et de cet univers.

CHAPITRE VII

[Ainsi], qu'il y ait des causes et que le nombre en soit
15 tel que nous disons, c'est évident, car tel est le nombre de causes qu'embrasse le pourquoi. En effet le pourquoi se ramène en fin de compte, soit à l'essence, à propos [par exemple] des choses immobiles, je veux dire en mathématiques (à preuve qu'il se ramène en fin de compte à la définition du droit, du commensurable ou de quelque autre chose); soit au moteur prochain (par exemple : pourquoi ont-ils fait la guerre? parce que [leurs ennemis]
20 les ont pillés); soit [à] la chose qu'on a eue en vue ([par exemple : ils ont fait la guerre] pour dominer); soit, à propos des choses qui deviennent, [à] la matière. Il est donc clair que les causes sont telles et en tel nombre.

Or, les causes étant quatre, [il appartient] au physicien de les connaître toutes et il indiquera le pourquoi en physicien en le ramenant à toutes : la matière, la forme, le moteur et la chose qu'on a en vue. Il est vrai que trois
25 d'entre elles se réduisent à une en beaucoup de cas : car l'essence et la chose qu'on a en vue ne font qu'un, et la source prochaine du mouvement est spécifiquement identique à celles-ci : car c'est un homme qui engendre un homme et, d'une manière générale, [cette identité a lieu pour] tous [ceux des] moteurs prochains qui sont mus, [alors que], d'autre part, ceux qui [ne sont] pas [mus] ne [relèvent] plus de la physique, puisqu'ils ne meuvent pas en possédant en eux-mêmes le mouvement ni un principe de mouvement [agissant sur eux-mêmes], mais
30 en restant immobiles; d'où il suit qu'il y a trois ordres de recherches : l'un sur les choses immobiles, l'autre sur les choses mobiles mais incorruptibles, un autre sur les

choses corruptibles. Aussi, [le physicien] a-t-il indiqué le pourquoi quand il l'a ramené à la matière, à l'essence et au moteur prochain. Et effectivement, à propos du devenir, [c'est] surtout de la manière que voici [qu'] on cherche les causes : [on se demande] quelle chose [vient] 35 après quelle autre, quel est l'agent ou quel est le patient prochain, et toujours ainsi en suivant. Mais les principes qui meuvent d'une façon naturelle sont doubles, et l'un 198 b d'eux n'est pas un principe naturel : car il n'a pas en lui-même un principe de mouvement [agissant sur lui-même]; tels les moteurs qui ne sont pas mus, comme d'une part le moteur absolument immobile et le premier de tous, [comme] d'autre part l'essence et la forme, car [ce sont là] des fins et des choses qu'on a en vue. De la sorte, attendu que la nature [agit] en vue de quelque 5 chose, il faut que [le physicien] connaisse aussi ce [second principe moteur], et c'est selon tous les sens qu'il doit indiquer le pourquoi; [pour l'indiquer] il doit dire : parce que de telle [cause efficiente] suit nécessairement telle chose, cela soit absolument, soit la plupart du temps; parce que, si telle chose doit être, [il faut telle matière], de la même façon que des prémisses [résulte] la conclusion; parce que la quiddité était telle, et [enfin] parce que le meilleur [le voulait] ainsi, [le meilleur] non pas absolument, mais par rapport à l'essence de chaque chose.

CHAPITRE VIII

10 Nous devons donc établir d'abord que la nature est [au nombre] des causes [qui agissent] en vue de quelque chose, [et] ensuite quel sens comporte le nécessaire dans les choses naturelles : car voici la cause à laquelle tous ramènent [leurs explications], c'est que les propriétés naturelles du chaud et [celles] du froid et [celles] de toutes les choses de cette sorte étant telles, tels êtres et tels 15 changements [s'ensuivent] nécessairement. Que s'ils allèguent une autre cause, à peine y ont-ils touché qu'ils l'abandonnent, [comme] celui-ci [qui allègue] l'amitié et la discorde et cet autre l'intellect.

Mais [avant tout], il y a [relativement à notre premier

point] une difficulté : qui empêche que la nature, au lieu d'agir en vue de quelque chose et parce que c'est le meilleur, [agisse] comme le ciel [qui] verse la pluie non pour faire croître le blé, mais par nécessité? En effet, les [exhalaisons après s'être] élevées se refroidissent forc ment et, refroidies, devenues de l'eau, elles tombent; puis, en conséquence, il arrive par accident que le blé croît; et pareillement si, en revanche, du blé se perd sur une aire, [le ciel] ne verse pas la pluie en vue de cela [et] pour le perdre, mais cela arrive par accident. Cela compris, qui empêche que, dans la nature, le cas des parties [des vivants] soit le même? Les dents, par exemple, naîtraient les unes, les incisives, tranchantes [et] propres à couper les aliments, les autres, les molaires, larges et aptes à [les] broyer; car, [dit-on], elles ne seraient pas produites en vue de ces fonctions, mais par accident elles s'[en] trouveraient [capables]. De même pour toutes les autres parties qui sont, selon l'opinion générale, en vue de quelque chose. [Les êtres] chez lesquels il s'est trouvé que toutes les parties sont telles que si elles avaient été produites en vue de quelque chose, ceux-là ont survécu étant, par un effet du hasard, convenablement constitués; ceux, au contraire, pour qui [il n'en a] pas [été] ainsi, ont péri et périssent; et tels sont les bovins à face d'homme dans Empédocle.

C'est donc en ces allégations ou en d'autres analogues qu'on peut faire consister la difficulté. Mais il est impossible que [dans la réalité] il en soit ainsi. En effet, ces choses [dont on vient de parler], et, [en général], toutes les choses naturelles se produisent telles qu'elles sont, soit toujours, soit la plupart du temps, tandis que nul effet de la fortune ou du hasard [n'a cette constance]. Car, selon l'opinion générale, ce n'est pas par fortune ni par rencontre qu'il pleut fréquemment en hiver, mais s'[il pleuvait fréquemment] au temps de la canicule [ce serait par fortune et par rencontre]; ce n'est pas [par fortune et par hasard] qu'[il y a] des chaleurs brûlantes au temps de la canicule, mais qu'[il y en aurait] en hiver. Si donc il est vrai, selon l'opinion générale, que [les choses naturelles] existent [de l'une de ces deux manières savoir] ou bien par rencontre, ou bien en vue de quelque chose [et] si, [d'autre part], il est impossible qu'elles existent par rencontre et par hasard, il faudra qu'elles existent en vue de quelque chose. Or, d'après ceux mêmes qui tiennent de tels discours, toutes ces sortes de choses [dont ils parlent] sont naturelles. Le [fait d'exister] en vue de quelque chose a donc lieu dans les changements et dans les êtres naturels.

En outre, dans les choses qui comportent un terme final, ce qui [est donné] d'abord et ce qui [vient] ensuite est fait en vue de ce [terme]. Donc, étant donné qu'une chose se fait par tel procédé, c'est par le même procédé que la nature la produit, et étant donné que la nature produit [une chose] par tel procédé, c'est par le même procédé qu'elle se fait, à moins d'empêchement. Or [les choses qui comportent un terme final] se font en vue de quelque chose; donc, la nature les produit en vue de cette même chose. Par exemple, si une maison était [au nombre] des choses produites par la nature, elle serait produite [par la nature] comme elle l'est en fait par l'art; si, au contraire, les choses naturelles n'étaient pas produites par la nature seulement, mais aussi par l'art, elles seraient produites [par l'art] de la même manière qu'elles le sont par la nature. Par conséquent, l'un [des moments de la chose, c'est-à-dire les antécédents, serait produit] en vue de l'autre, [c'est-à-dire du terme final].

Maintenant, d'une manière générale, l'art ou bien exécute ce que la nature est impuissante à effectuer, ou bien il l'imite. Si donc les choses artificielles [sont produites] en vue de quelque chose, il est évident que les choses de la nature [le sont] aussi : car dans les choses artificielles et dans les choses de la nature les conséquents et les antécédents sont entre eux dans le même rapport.

Toutefois [cette identité de procédure entre la nature et l'art] est surtout évidente en présence des animaux autres [que l'homme], qui n'agissent ni par art, ni en cherchant, ni en délibérant : d'où vient qu'on s'est demandé si les araignées, les fourmis et les [animaux] de cette sorte travaillent avec intelligence ou quelque chose d'approchant. Or, en continuant peu à peu dans la même direction, on voit que, dans les plantes mêmes, les choses utiles pour la fin se produisent : ainsi les feuilles en vue d'abriter le fruit. Si donc [c'est] par une impulsion naturelle et aussi en vue de quelque chose [que] l'hirondelle fait son nid, et l'araignée sa toile, et si les plantes [produisent] leurs feuilles en vue des fruits, [si elles poussent] leurs racines non en haut, mais en bas en vue de la nourriture, il est clair que cette sorte de cause [qui agit en vue d'une fin] existe dans les changements et dans les êtres naturels.

Et puisque la nature est double, matière d'un côté, forme de l'autre, que celle-ci est fin et que les autres choses sont en vue de la fin, c'est celle-ci [c'est-à-dire la nature comme forme] qui est la cause, [au sens de] la chose qu'on a en vue.

Des erreurs se produisent bien jusque dans les choses que l'art exécute : le grammairien écrit [quelquefois] incorrectement et le médecin administre mal à propos sa potion; ainsi il est évident qu'il peut également [se
b produire des erreurs] dans les choses que la nature exécute. Si donc il y a des productions de l'art dans lesquelles ce qui est bien [a été fait] en vue de quelque chose, tandis que, pour ce qui est erroné, [cela] a été entrepris en vue de quelque chose, mais a manqué [le but], de même en doit-il être dans les choses naturelles, et les monstres sont des erreurs de cette dernière [espèce de la causalité agissant] en vue de quelque chose. Et, par conséquent, pour ce qui est de la constitution [des animaux] du début, si les bovins [d'Empédocle] ont été incapables d'aller jusqu'à un certain terme et [une certaine] fin, [c'est qu'] ils avaient été produits par un principe vicié, comme maintenant [les monstres le sont] par un germe vicié; puisqu'il est nécessaire que [ce soit] le germe [qui] soit produit d'abord et non tout de suite les animaux; et le «d'abord des [ébauches] indistinctes», [c'] était le germe.

En outre, dans les plantes mêmes, il y a des [dispos tions prises] en vue de quelque chose; elles sont seulement moins marquées. S'est-il donc produit parmi les plantes des sortes de vignes à tête d'olivier comme les bovins à faces d'hommes; ou bien ne [s'en est-il] pas [produit]? [Dire qu'il s'en est produit eût été] absurde certes, et pourtant il fallait [qu'il s'en produisît], puisqu'[il y a eu de tels monstres] chez les animaux.

En outre, il faudrait que les produits des germes fussent sans règle. Mais celui qui parlerait ainsi suppr
15 merait d'une manière générale les [productions] de la nature et la nature. Car sont [productions] de la nature toutes les choses qui, mues d'une façon continue par un principe intérieur, aboutissent à un terme final. Or, de chacun de ces principes dérive un [terme final] différent [de celui] des autres et qui n'est pas quelconque : cependant elles [vont] toujours [chacune] vers le même [terme], si rien ne les empêche.

Il est vrai que la chose qu'on a en vue et ce qui est en vue d'elle peuvent au besoin être produits par la fortune.
20 Par exemple, nous disons que l'étranger est arrivé par fortune et que, ayant délié [le prisonnier], il l'a laissé aller, lorsque [l'étranger] a fait cela comme s'il était arrivé en vue de [le] faire, n'étant pas cependant arrivé en vue de cela. Et cette [réalisation de quelque chose qu'on pourrait avoir en vue a lieu] par accident : car la fortune est, comme nous l'avons dit plus haut, [au nombre] des causes par accident. Mais lorsque cette [réalisation] a
25 lieu toujours ou le plus souvent, [alors] elle n'est pas un accident ni un effet de la fortune; or les choses naturelles [arrivent] toujours, [ou la plupart du temps, *ou plutôt* : en vue de quelque chose (cf. 199 b 18-19)], de telle manière déterminée, pourvu que rien n'empêche.

Quant à penser qu'il n'y a pas action en vue de quelque chose, parce qu'on ne voit pas le moteur délibérer, c'est absurde. Car l'art lui-même ne délibère pas, et certes, si l'art de construire les vaisseaux était dans le bois, il
30 agirait comme la nature; si donc il y a dans l'art de l'[action] en vue de quelque chose, [il y en a] aussi dans la nature. Toutefois, [c'est] surtout dans le cas où un [homme] se guérit lui-même [que] cette [conformité de la nature avec l'art] est évidente : car la nature ressemble à cet [homme]. Il est donc clair que la nature est une cause et [cause en ce sens] qu'[elle agit] en vue de quelque chose.

CHAPITRE IX

Maintenant le nécessaire [dans les choses de la nature] est-il [nécessaire d'une nécessité] hypothétique ou [d'une nécessité] absolue? Nous voyons, en effet, [les physiolo-
a gues] penser que la nécessité règne dans le devenir, comme celui qui croirait que les murs se produisent nécessairement, parce qu'il est de la nature des graves d'aller en bas et [de celles] des choses légères [d'aller] à la surface, ce qui ferait que les pierres et les fondements [seraient] en bas, la terre [plus] haut, en raison de sa légèreté et le bois, comme le plus léger, tout à fait à la surface. Cependant la vérité est que sans ces choses [les murs et la maison] ne se produiraient pas, mais qu'ils ne [sont] point [produits] par ces choses si ce n'est en tant qu'[elles sont leur] matière et [qu'ils sont produits] en vue de couvrir et de conserver certains objets. Et [il en est] de même pour toutes les choses qui existent dans une certaine vue : [elles] ne [sont] point sans ce qui revêt la nature du nécessaire, et pourtant [elles] ne [sont] point par lui si ce n'est en tant qu'[il est] leur matière, et [elles sont] dans une certaine vue. Par exemple, pourquoi la scie [est-elle] ainsi faite? Afin qu'elle soit ceci et en vue de telle chose; mais cette chose visée ne peut se produire sans que [la scie] soit de fer; donc il est nécessaire qu'elle soit de fer, s'il doit y avoir une scie et son œuvre. Par conséquent, le nécessaire [l'est d'une nécessité] hypothétique; il n'[est] pas [nécessaire] comme [nécessitant] la fin : car la nécessité est dans la matière, tandis que ce qu'on a en vue est dans la notion.

Et le nécessaire est, en un sens, à peu près de même espèce dans les mathématiques et d'autre part dans les productions de la nature. En effet, la droite étant ceci, il est nécessaire que le triangle ait [ses angles] égaux à deux droits, mais de cette dernière [proposition on] ne [tirerait] pas la précédente, bien que, si la dernière n'est pas [vraie], la droite, à son tour, n'existe plus. La différence est que dans les objets produits en vue de quelque chose l'ordre [est] inverse : s'il est vrai que la fin sera ou [si elle] est, il est vrai que l'antécédent sera ou qu'il est; mais,

dans le cas présent, la fin et la chose qu'on a en vue ne seront pas si [l'antécédent] n'[est] pas, de même que, dans l'autre cas, le principe ne sera pas si la conclusion n'est pas; car [la fin] est principe aussi, non de l'exécution mais du raisonnement, tandis que dans l'autre cas, [le principe est principe] du raisonnement, puisqu'il n'y a pas d'exécution. Ainsi, étant vrai qu'il y aura une maison, il est
25 nécessaire que telles choses soient faites, ou [encore] qu'elles soient ou existent; d'une manière générale [il est nécessaire], s'[il doit y avoir] une maison, [que] la matière appropriée, des tuiles et des pierres, par exemple, [soit aussi]; et pourtant la fin n'est pas ni, [s'il est vrai qu'elle sera], ne sera pas, par ces choses, sauf en tant qu'elles sont sa matière; bien que, d'une manière générale, si ces choses ne sont pas, il soit vrai que ni la maison ne sera ni la scie, l'une sans les pierres, l'autre sans le fer, non plus que dans l'autre cas, si le triangle ne [vaut] pas deux
30 droits, les prémisses [ne subsisteront].

[Il est] donc évident que le nécessaire dans les choses naturelles, [c'est] ce qu'on énonce comme [leur] matière et les mouvements de celle-ci. Et le physicien doit parler des deux [sortes de] causes, mais surtout de celle [qui dit] en vue de quoi [est l'objet] : car c'est la cause de la matière, mais celle-ci n'[est] pas [cause] de la fin. Aussi la fin [est-elle] ce que [la nature] a en vue, et [c'est] de la
35 définition et de la notion que [la nature] part. De même
200 b que, dans les choses artificielles, la maison étant telle, il faut que nécessairement telles choses soient faites ou existent, que la santé étant telle, il faut que nécessairement telles choses soient faites ou existent, de même [dans la nature] l'homme étant tel, [il faut] telles choses, et s'[il faut] telles choses, [il en faut] telles [autres à leur tour].

Peut-être, il est vrai, y a-t-il du nécessaire [jusque] dans
5 la notion : car, lorsqu'on a défini l'œuvre du sciage [en disant] que [c'est] telle sorte de coupure, il reste que cette [sorte de coupure] ne saurait être, à moins que [la scie] n'ait des dents de telle sorte, et ces dents ne seront pas à moins que la scie ne soit de fer. C'est qu'il y a dans la notion elle-même des parties qui sont dans la notion comme [sa] matière.

Lexique

Accident : Ce qui n'appartient pas à l'essence de quelque chose, ni à son devenir nécessaire, et ne lui est attribué ou ne lui advient que de manière tout à fait contingente. Ce qui est «par accident» s'oppose à ce qui est «par soi».

Acte (en) : est en acte ce qui est actuellement réalisé, ou ce qui est en train de s'exercer (la présence de telle ou telle propriété dans une substance, ou l'exercice de telle ou telle fonction). S'oppose à ce qui est «en puissance».

Art (s) : aussi bien la technique d'un artisan que les beaux-arts, pour autant qu'ils produisent quelque chose et traduisent un savoir-faire.

Catégories : voir p. 7.

Cause : la production de quelque chose requiert, selon Aristote, le jeu de quatre causes : un agent, ou «cause efficiente»; une matière, ou «cause matérielle», qui est ce que cet agent modifie ou travaille; une «forme», que l'agent cherche à donner à la matière, ou «cause formelle»; une fin, ou «cause finale», qui doit se réaliser au terme et, d'une certaine manière, a commandé tout le processus. Ce schéma, facile à comprendre pour les arts ou techniques (un sculpteur, cause efficiente, travaille le marbre, cause matérielle, pour faire la statue d'un homme, cause formelle, qui représentera le dieu Hermès en tel épisode de sa légende pour décorer un temple, cause finale), vaut également pour les productions naturelles : telle semence, cause efficiente, élabore les éléments dont elle se nourrit, cause matérielle, en un arbre, cause formelle, qui sera à même de perpétuer telle espèce végétale, cause finale.

Changement et mouvement : le changement, qui est transformation continue, peut s'accomplir selon différentes modalités, ou «catégories» : s'il s'agit de la substance même, on parlera de génération ou de corruption; s'il s'agit de la quantité, on parlera d'accroissement ou de décroissement; s'il s'agit de la qualité, on parlera d'altération; s'il s'agit de déplacement, de changement de lieu, on parlera de transport. Le nom de mouvement correspondra, au sens large, aux trois dernières rubriques, et au sens restreint, à la dernière, le mouvement local.

Éléments : au sens le plus large, ce sont les parties ultimes en lesquelles un tout peut être décomposé (par exemple, les atomes dans l'atomisme). Mais ce sont aussi, pour Aristote, les premières déterminations de la matière (feu, air, terre, eau).

Finalité : principe d'explication qui privilégie la cause finale, et cherche à faire comprendre un processus par ce à quoi il tend (cf. «cause»).

Forme : la configuration de la chose, par opposition à sa matière, peut être appelée forme (*morphè* en grec). Mais la forme, c'est aussi l'*eidos*, ce qui correspond à l'idée (*idea*) que nous avons, c'est-à-dire ce qui définit, détermine un être dans sa différence spécifique. Pour les êtres naturels, elle est inséparable de la matière, avec laquelle elle constitue la substance singulière (*ousia* en grec).

Mécanisme : principe d'explication qui privilégie la cause efficiente, et cherche à faire comprendre ce qui suit par ce qui a précédé (cf. «cause»).

Mouvement : voir **Changement.**

Nécessité : est nécessaire ce qui ne peut être autrement. Il y a une nécessité d'ordre logique : est nécessaire ce dont le contraire implique contradiction. Il y a aussi une nécessité d'ordre naturel, celle qui correspond à la forme, à la définition de quelque chose. Ces deux nécessités, pour Aristote, se rejoignent, car la nécessité logique d'une science tient à sa capacité de saisir les formes et définitions de ses objets. La nécessité des êtres éternels tient à la perfection selon laquelle ils actualisent leur forme (le mouvement d'un astre, par exemple). Les êtres corruptibles, ou substances de notre monde, le sont par la part de matière qui est en eux et empêche la forme de s'actualiser parfaitement et constamment ; par là ils contiennent de la contingence (fait de pouvoir être autrement, ou ne plus être), qui est le contraire de la nécessité. Cependant, un autre sens de la nécessité, c'est la « contrainte » : la matière des substances composées impose des contraintes à la forme, contraintes sans lesquelles cette forme ne peut se réaliser. On peut donc aussi parler de nécessité à propos de la matière, au sens où le marbre impose nécessairement tel outil au sculpteur, par exemple. C'est à ce second sens du mot nécessité que se réfèrent les explications purement matérialistes, dénoncées par Aristote chez les atomistes.

Puissance : la puissance est le contraire de l'acte, et s'oppose à lui comme ce qui est virtuel à ce qui est effectivement. En ce sens, ce serait la matière qui serait la plus proche de la puissance, puisqu'elle peut recevoir n'importe quelle forme. Mais la puissance peut aussi être puissance de ceci ou de cela (le marbre est puissance de statues, et le bois puissance de navire, non l'inverse). Il peut donc y avoir en elle une certaine détermination.

Quiddité : mot dérivé du latin *quid* : « ce que la chose avait à être », dit à peu près l'expression grecque, autrement dit son essence, ou sa définition.

Substance : ce qui fait qu'un être est ce qu'il est, à l'exclusion de tout autre. Pour les substances composées de matière et de forme, c'est l'individu même qui résulte de cette composition (en grec, *ousia*).

Note sur les atomistes : A l'époque d'Aristote, l'atomisme, dont les représentants sont Leucippe et Démocrite (vers 460-370 av. J.-C.), faisait d'éléments physiques insécables les principes de toutes choses, les différenciant par leur forme, leur taille, leur position. Les mouvements de ces atomes engendraient tous les êtres de la nature, et leurs combinaisons précises, les différences entre ces êtres. Ces mouvements étaient le fait de chocs, de rebondissements, de tourbillons. L'absence de « forme » ou de « fin », au sens aristotélicien de ces termes, pouvait permettre de les penser dus au hasard. Le jeu de la seule « cause efficiente » en faisait un mécanisme. Épicure, qui s'inspirera d'eux, et fut pour un temps le contemporain d'Aristote, n'élabore sa doctrine qu'après lui. Mais elle rejoint celle des atomistes plus anciens au prix de certains aménagements dans les explications données, et réduit, elle aussi, la substance de toutes choses à des atomes matériels. Elle soulignera mieux encore le lien entre nécessité mécaniste et hasard.

Imprimé en France par MAURY-IMPRIMEUR S.A. – 45330 Malesherbes
N° d'édition : 12542 / N° d'impression : C91/33851
Dépôt légal : mars 1991